ARSÈNE LUPIN

CB019263

MAURICE LEBLANC

ARSÈNE LUPIN E O MISTÉRIO DE BARRE-Y-VA

Tradução
Luciene Ribeiro dos Santos

Principis

Esta é uma publicação Principis, selo exclusivo da Ciranda Cultural
© 2021 Ciranda Cultural Editora e Distribuidora Ltda.

Traduzido do original em francês
La Barre-y-va

Texto
Maurice Leblanc

Tradução
Luciene Ribeiro dos Santos

Preparação
Jéthero Cardoso

Revisão
Cleusa S. Quadros

Produção editorial
Ciranda Cultural

Diagramação
Linea Editora

Design de capa
Ciranda Cultural

Imagens
alex74/shutterstock.com;
YurkaImmortal/shutterstock.com;
Irina Solatges/shutterstock.com;
alaver/shutterstock.com;
bins/shutterstock.com;
Uliana Solokova/shutterstock.com

Dados Internacionais de Catalogação na Publicação (CIP) de acordo com ISBD

L445a Leblanc, Maurice

Arsène Lupin e o mistério de Barre-y-va / Maurice Leblanc ; traduzido por Luciene Ribeiro dos Santos. – Jandira, SP : Principis, 2021.
192 p. ; 15,5cm x 22,6cm. - (Arsène Lupin)

Tradução de: La Barre-y-va
ISBN: 978-65-5552-525-0

1. Literatura francesa. 2. Ficção. I. Santos, Luciene Ribeiro dos. II. Título. III. Série.

2021-1966 CDD 843
CDU 821.133.1-3

Elaborado por Vagner Rodolfo da Silva - CRB-8/9410

Índice para catálogo sistemático:
1. Literatura francesa : Ficção 843
2. Literatura francesa : Ficção 821.133.1-3

1ª edição em 2021
www.cirandacultural.com.br
Todos os direitos reservados.
Nenhuma parte desta publicação pode ser reproduzida, arquivada em sistema de busca ou transmitida por qualquer meio, seja ele eletrônico, fotocópia, gravação ou outros, sem prévia autorização do detentor dos direitos, e não pode circular encadernada ou encapada de maneira distinta daquela em que foi publicada, ou sem que as mesmas condições sejam impostas aos compradores subsequentes.

SUMÁRIO

Visita noturna 7
As explicações de Théodore Béchoux 20
O assassinato 31
Ataques 44
Os três "salgos" 56
A dona Vauchel 67
O escrivão 79
O testamento 90
Dois dos culpados 104
O homem da cartola 117
Preso na armadilha 127
A vingança 138
A inquisição 149
Ouro 161
As riquezas do procônsul 172
Epílogo – Qual das duas? 184

VISITA NOTURNA

Depois de uma noitada no teatro, Raul d'Avenac voltou para casa, parou por um momento diante do espelho em seu vestíbulo e contemplou, não sem algum prazer, seu corpo em boa forma: o belo terno de alfaiataria, a elegância de sua figura, a largura dos ombros, a força do tórax, que se destacava sob o colete.

O vestíbulo, por suas dimensões limitadas e os móveis, anunciava um daqueles confortáveis apartamentos de solteiro, mobiliados com luxo, onde somente um homem de bom gosto poderia morar, tendo o hábito e os meios para satisfazer suas fantasias mais caras. Raul se alegrava, como fazia todas as noites, em poder fumar um cigarro no escritório e se deixar cair em uma vasta poltrona de couro para desfrutar de um desses descansos que ele chamava de aperitivo do sono. Seu cérebro ficava livre de todos os pensamentos incômodos, e ele se deixava levar por um vago devaneio, no qual deslizavam as lembranças do dia passado e os planos confusos para o dia seguinte.

No momento de abrir os olhos, ele hesitou. Só então, e de repente, percebeu que não era ele quem tinha acabado de acender a luz do vestíbulo, e que, quando chegara, as três lâmpadas do candelabro já espalhavam pelo ambiente a sua tripla iluminação.

"Estranho", pensou. "Ninguém poderia ter vindo aqui desde que eu saí, pois os criados tiraram um dia de folga. Devo admitir que não apaguei a luz quando saí mais cedo?"

D'Avenac era um homem a quem nada escapava, mas também não perdia seu tempo em busca de solução para esses pequenos problemas que o acaso nos coloca e que as circunstâncias quase sempre se encarregam de nos explicar da maneira mais natural.

"Somos nós quem fazemos nossos próprios mistérios", dizia ele. "A vida é muito menos complicada do que pensamos, e ela mesma desvenda o que nos parece emaranhado."

E, de fato, quando ele passou pela porta à sua frente, não ficou muito surpreso ao ver uma jovem mulher de pé no fundo da sala, encostada a uma mesa de pedestal.

– Senhor Deus! – exclamou ele –, eis aqui uma visão graciosa.

Como no vestíbulo, a graciosa visão tinha acendido todas as lâmpadas, sem dúvida preferindo o máximo de claridade. E ele podia admirar, à vontade, um lindo rosto emoldurado por caracóis loiros, um corpo esbelto, bem proporcionado, bem alto, e vestido com um modelito um tanto antiquado. Seu olhar era inquieto, e o rosto se contraía de emoção.

Raul d'Avenac já estava cheio de pretensões, pois as mulheres sempre o haviam agraciado com seus favores. Ele acreditou, portanto, na sorte, e aceitou a aventura, como aceitara tantas outras, sem ter pedido por elas.

– Eu não a conheço, senhora, conheço? – disse ele, sorrindo. – Eu já a vi antes?

Ela fez um gesto que significava que, de fato, ele não estava enganado. Ele continuou:

– Como diabos você entrou aqui?

Ela apontou para uma chave, e ele exclamou:

– Então você tem uma chave do meu apartamento! Isto está ficando muito divertido.

Ele estava cada vez mais convencido de que havia seduzido involuntariamente a bela visitante, e que ela vinha até ele como presa fácil, ansiosa por sensações raras e pronta para ser conquistada.

Assim, ele caminhou na direção dela com a habitual cautela em tais casos, determinado a não deixar escapar essa oportunidade que se apresentava de forma tão encantadora. Mas, contra todas as expectativas, a jovem mulher recuou e endureceu seus braços, com um olhar assustado:

– Não se aproxime! Eu o proíbo de se aproximar... não tem esse direito...

Seu rosto assumiu uma expressão de angústia que o desconcertou. E então, quase ao mesmo tempo, ela começou a rir e a chorar, com movimentos convulsivos e com tal agitação que ele lhe disse suavemente:

– Eu não lhe farei mal. Você não veio aqui para me roubar, veio? Ou veio para atirar em mim com uma arma? Então, por que eu a magoaria? Vamos, me responda... O que você quer de mim?

Tentando se controlar, ela sussurrou:

– Vim pedir socorro.

– Mas meu trabalho não é socorrer.

– Dizem que sim... e que tudo o que o senhor tenta, o senhor sempre consegue.

– Caramba! Que privilégio, esse que você está me dando. E se eu tentar tomá-la em meus braços, serei bem-sucedido? Basta pensar: uma senhora, à uma hora da manhã, na casa de um cavalheiro... tão bonita como você... tão atraente... Confesse, não tenha medo, eu já posso me imaginar...

Ele se aproximou dela novamente, sem que ela protestasse; pegou-lhe a mão e a apertou entre as suas. Então ele acariciou-lhe o pulso e o antebraço, que estava nu, e teve a impressão repentina de que, se a atraísse para si, ela não poderia afastá-lo, de tão enfraquecida que estava pela emoção.

Um pouco exultante, ele tentou, muito discretamente, depois de passar a mão pela cintura da jovem mulher. Mas naquele momento, tendo-a observado, ele viu olhos tão assustados e um rosto tão triste, cheio de angústia e súplica, que interrompeu seu gesto e se desculpou:

– Peço perdão, minha senhora.

Ela disse, em voz baixa:

– Não, não senhora… senhorita… – e continuou, de imediato: – Sim, eu compreendo, fazer tal visita a esta hora!… É natural que o senhor esteja equivocado.

– Oh, absolutamente equivocado! – brincou ele. – Depois da meia-noite, minhas ideias sobre as mulheres mudam completamente, começo a imaginar coisas absurdas e a me comportar sem nenhuma delicadeza… Mais uma vez, me perdoe. Eu agi mal. Terminou? A senhorita não está mais com raiva de mim?

– Não – ela respondeu.

Ele suspirou:

– Deus, como a senhora é encantadora, e que pena ter vindo por uma razão que não é o que eu pensava! Então a senhorita vem até mim como tantas pessoas iam consultar Sherlock Holmes em sua casa, em Baker Street? Então, senhorita, fale e me dê todas as explicações necessárias. A senhorita tem minha devoção. Eu estou ouvindo.

Ele a fez sentar-se. Por mais tranquila que estivesse com o bom humor e a bondade respeitosa de Raul, ela continuava muito pálida. Seus lábios, de um desenho gracioso, frescos como os de uma criança, às vezes se retorciam. Mas havia confiança em seus olhos.

– Desculpe-me – disse ela, com uma voz alterada. – Posso não estar no meu juízo perfeito, mas o que eu sei é que estão acontecendo coisas…

coisas que eu não consigo entender... e outras que virão, e que me assustam... sim, que me assustam antecipadamente, sem que eu saiba por quê... pois não há provas de que elas acontecerão. Meu Deus! Meu Deus! Como isso é assustador e como eu sofro!

Ela passou a mão na testa com um gesto de cansaço, como se quisesse arrancar ideias que a extenuavam. Raul realmente sentia pena de sua angústia e começou a rir para acalmá-la.

– A senhorita parece tão nervosa! Não deveria estar. Isso não ajuda em nada. Vamos, coragem, senhorita, não há mais nada a temer, nem de minha parte, desde que me peçam ajuda. A senhorita vem da província, não é mesmo?

– Sim. Saí de casa pela manhã, e cheguei no fim da tarde. Imediatamente entrei em um carro que me conduziu até aqui. A zeladora pensou que o senhor estava aqui e me indicou o apartamento. Eu toquei a campainha. Não havia ninguém.

– Os criados tiveram um dia de folga, e eu jantei no restaurante.

– Então – disse ela – usei esta chave...

– Que a senhorita pegou com quem?

– Com ninguém. Eu a roubei de alguém.

– Que alguém?

– Vou explicar.

– Estou tão ansioso para saber! Tenho certeza de que a senhorita não se alimenta desde esta manhã e deve estar faminta!

– Não, eu encontrei chocolate nesta mesa.

– Perfeito! Mas há muito mais que chocolate. Eu a servirei, e conversaremos em seguida, certo? Mas, na verdade, a senhorita parece tão jovem... uma criança! Como eu poderia tê-la confundido com uma dama!

Ele riu e tentou fazê-la rir, enquanto abria um armário do qual tirou biscoitos e vinho doce.

– Qual é o seu nome? Porque eu preciso saber...

– Mais tarde... Contarei tudo.

– Tudo bem. Além disso, eu não preciso saber o seu nome para servi-la. Sim, seus lindos lábios devem gostar de mel, e eu tenho um mel excelente na despensa. Vou lá pegar...

Ele estava prestes a deixar o vestíbulo quando o telefone tocou.

– Estranho – murmurou ele. – A esta hora... A senhorita se importa?

Ele pegou o telefone e, mudando ligeiramente a entonação, disse:

– Alô... Alô...

Uma voz distante lhe disse:

– É você?

– Sou eu! – disse ele.

– Que sorte! – disse a voz. – Há tanto tempo que estou procurando você!

– Minhas desculpas, meu querido amigo, eu estava no teatro.

– E agora você está de volta?

– Parece que sim.

– Fico muito feliz.

– E eu também! – disse Raul. – Mas você poderia me dar uma informação, meu velho? Apenas uma pequena informação?

– Diga logo.

– Quem está falando?

– O quê! Não está me reconhecendo?

– Confesso, velho amigo, que até agora...

– Béchoux... Théodore Béchoux.

Raul d'Avenac reprimiu um movimento e declarou:

– Nunca ouvi falar.

A voz protestou:

– Mas sim!... Béchoux, o policial... Béchoux, o brigadeiro da Sûreté[1]...

---

[1] Em muitos países ou regiões da França, Sûreté é o nome da organização policial civil, particularmente ligada a detetives. (N.T.)

– Oh! Conheço-o pela reputação, mas nunca tive o prazer...

– Você está brincando! Já resolvemos tantos casos juntos! *O jogo de bacará? O homem dos dentes de ouro? As doze africanas?* [2]... Tantos triunfos... que alcançamos juntos...

– Você deve estar enganado. Com quem o senhor acha que tem a honra de falar?

– Com você, é claro!

– E quem sou eu?

– O visconde Raul d'Avenac.

– Esse é de fato o meu nome. Mas eu asseguro que Raul d'Avenac não o conhece.

– Talvez, mas Raul d'Avenac me conhecia quando ele usava outros nomes.

– Caramba! Explique isso.

– Bem, Jim Barnett, por exemplo. O Barnett, da *Agência Barnett e Associados.* E depois Jean d'Enneris, da *Mansão misteriosa*[3]. E preciso mencionar seu nome verdadeiro?

– Vá em frente. Não tenho vergonha. Pelo contrário.

– Arsène Lupin.

– Até que enfim! Estamos de acordo, agora que as coisas estão claras. É por este nome, de fato, que eu sou muito honrosamente conhecido. Então, meu velho amigo, o que você quer?

– Sua assistência, e de imediato.

– Minha assistência? Você também?

– O que quer dizer com isso?

– Nada. Estou à sua disposição. Onde você está?

---

[2] Essas aventuras são narradas no livro *Agência Barnett e Associados: as novas aventuras de Arsène Lupin (L'Agence Barnett et Cie,* 1928*)*, uma coletânea de oito contos de Maurice Leblanc. (N.T.)

[3] *Arsène Lupin e a mansão misteriosa* (*La Demeure Mystérieuse,* 1928). (N.T.)

– Em Le Havre.

– Fazendo o quê? Investindo no negócio de algodões?

– Não, eu vim para telefonar a você.

– Essa é boa. Você saiu de Paris para me telefonar de Le Havre?

O nome da cidade, que Raul pronunciou diante da garota, pareceu incomodá-la. Ela sussurrou:

– Le Havre... Estão lhe telefonando de Le Havre? Isso é estranho, quem está falando? Deixe-me ouvir.

Um pouco contra a vontade de Raul, ela se apoderou do outro aparelho e, como ele, ela ouviu a voz de Béchoux dizer:

– Não é por essa razão. Estou morando aqui na região. Como não havia sinal de telefone, arranjei um carro que me levou a Le Havre. E agora estou voltando para casa.

– O que você quer dizer? – perguntou d'Avenac.

– Você conhece o Radicâtel?

– Ora! Um banco de areia no meio do Sena, não muito longe da foz.

– Sim, entre Lillebonne e Tancarville, e a trinta quilômetros de Le Havre.

– Você acha que eu não sei disso! O estuário do Sena! O país de Caux! Minha vida inteira está aí, ou seja, toda a história contemporânea. Então, você dorme no banco?

– Como é que é?

– Quero dizer, você mora no banco de areia?

– Em frente ao banco há uma pequena vila encantadora, a qual também recebe o nome de Radicâtel, e ali aluguei um chalé por vários meses, para descansar...

– Com um grande amor?

– Não, mas tenho um quarto de hóspedes que estou guardando para você.

– A que devo esta delicada atenção?

– Um assunto curioso e complicado, que gostaria de desvendar com você.

– Porque você não consegue resolver sozinho, não é, grandalhão?

Raul observava a jovem, cuja crescente aflição estava começando a atormentá-lo. Ele tentou tirar o telefone dela. Mas ela se agarrou a ele, e Béchoux insistia:

– É urgente. Entre outros eventos, uma jovem desapareceu hoje.

– Acontece todos os dias. E não é motivo para alarme.

– Não, mas há alguns detalhes perturbadores, e além disso…

– E além disso o quê? – gritou Raul, impaciente.

– Bem, agora há pouco, às duas horas, ocorreu um crime. O cunhado dessa garota, que a procurava no parque, ao longo de um rio, foi morto a tiros de revólver. Então, pegue o trem às oito da manhã e…

Ao ouvir a menção do crime, a jovem se levantou. O telefone escorregou de sua mão. Ela tentou falar, suspirou, vacilou e caiu no braço de um sofá.

Raul d'Avenac teve apenas tempo suficiente para gritar com Béchoux, em tom de raiva:

– Você é um imbecil! Que maneira de contar as coisas! Você não consegue entender, seu idiota?

Ele rapidamente desligou o telefone, estendeu a jovem no sofá e a forçou a inalar um frasco de sais.

– Ei, qual é o problema, senhorita? As palavras de Béchoux não têm importância. Mas é de você que ele fala e de seu desaparecimento! Além disso, você o conhece e sabe muito bem que ele não é uma mente superior. Eu imploro, fique boa logo e vamos tentar esclarecer a situação.

Mas Raul logo percebeu que nenhum esforço poderia esclarecer a situação naquele momento, que a jovem, já muito abalada por eventos que ele ignorava, não recuperaria seu equilíbrio após o inesperado e embaraçoso anúncio desse crime. Era necessário esperar a hora certa de agir.

Ele pensou por alguns segundos e tomou resolutamente uma decisão. Após aprontar-se rapidamente em frente ao espelho, com a ajuda de alguns produtos que suavizavam sua expressão, ele passou para a sala ao lado, trocou de roupa, pegou uma mala que estava sempre pronta dentro de um armário, saiu e correu para a garagem.

Raul voltou para casa rapidamente com seu carro. A jovem, embora acordada, permanecia inerte, incapaz de fazer um movimento. Sem oferecer a mínima resistência, ela se deixou levar até o carro, onde ele a colocou o melhor possível.

Inclinando-se para o ouvido dela, ele sussurrou:

– De acordo com a ligação de Béchoux, você também vive em Radicâtel, não é mesmo?

– Sim, em Radicâtel.

– Vamos para lá.

Ela fez um gesto de pavor, e ele a sentiu tremer da cabeça aos pés. Mas ele dizia palavras suaves, baixinho, em uma voz que a acalentava e a fazia chorar, sem pensar em protestar.

Três horas foram suficientes para Raul cruzar os quase duzentos quilômetros que separam Paris da vila normanda de Radicâtel. Nem uma palavra foi trocada entre eles. A jovem, além disso, acabou adormecendo e quando sua cabeça se inclinou sobre o ombro de Raul ele a endireitou suavemente. Sua testa estava em chamas. Seus lábios balbuciavam palavras que ele não conseguia compreender.

O dia começava a amanhecer quando ele se deparou com uma igrejinha encantadora, assentada sobre a verde vegetação, no fundo de um vale estreito que se eleva sobre os penhascos do Cauchois, próxima de um rio estreito e sinuoso que deságua no Sena. Atrás dela, através dos vastos prados, e sobre o largo rio que se curva ao redor de Quillebeuf, nuvens finas e longas, de um rosa cada vez mais avermelhado, anunciavam a aproximação do amanhecer.

Na aldeia adormecida, ninguém. Nenhum som.

– Tua casa fica longe daqui? – disse ele.

– Perto… ali… do outro lado da rua…

Uma bela alameda com quatro fileiras de carvalhos velhos seguia o rio e levava a uma pequena casa senhorial, que podia ser vista através das grades de um portão. O rio curvava-se neste ponto, passava sob um elevado, enchia um fosso forrado com espigões de ferro e depois virava novamente e adentrava uma propriedade cercada por um alto muro de pedra com contrafortes de tijolos.

A jovem teve então outro ataque de pânico, e Raul adivinhou que ela tinha vontade de fugir em vez de retornar àquele lugar, onde devia ter sofrido. No entanto ela mantinha o controle.

– Não posso ser vista entrando aqui – disse ela. – Há uma porta baixa ali na frente, e ninguém sabe que eu tenho a chave.

– Você consegue andar? – disse Raul.

– Sim… um momento…

– A manhã já está quente. Você não está com frio, está?

– Não.

Um caminho surgiu à direita do elevado, atravessando a extremidade do fosso, passando entre o muro e os pomares. Raul apoiava a garota pelo braço. Ela parecia exausta.

Diante da porta, ele lhe disse:

– Achei desnecessário cansá-la com minhas perguntas. Béchoux me dará as informações e, além disso, nós nos encontraremos novamente. Apenas uma pergunta: foi com ele que você pegou a chave do meu apartamento?

– Sim e não. Ele falava do senhor com frequência, e eu sabia que a chave estava sob o relógio, no quarto dele. Há alguns dias eu a peguei sem ele saber.

– Dê-me isso, sim? Vou colocá-la de volta, e ele nunca saberá. Nem ele, nem qualquer outra pessoa, deve saber que você foi a Paris e que eu a trouxe de volta, ou mesmo que nós nos conhecemos.

– Ninguém vai saber.

– Mais uma coisa. Os eventos acabam de nos reunir de uma forma inesperada e sem que saibamos quem somos. Confie em mim, e não faça nada sem falar comigo antes. Está de acordo?

– Sim.

– Nesse caso, assine este papel.

Raul pegou uma folha em branco de sua carteira e escreveu com a caneta: *"Eu dou plenos poderes ao senhor Raul d'Avenac para buscar a verdade e tomar decisões de acordo com meus interesses"*.

Ela assinou.

– Ótimo – disse Raul. – Você está a salvo.

Ele olhou para a assinatura.

– Catherine... teu nome é Catherine... estou encantado! É um nome que eu adoro. Até breve. Descanse.

Ela entrou.

Do lado de fora, ele ouviu o som abafado de seus passos. Depois, tudo ficou em silêncio. O dia estava avançando. Ela lhe havia mostrado o telhado da casinha alugada por Béchoux. Raul voltou, seguiu pela avenida novamente, deixou a vila e estacionou o carro em um galpão. Nas proximidades, em um pequeno pátio plantado com árvores frutíferas e cercado por uma sebe de espinhos, havia um velho edifício com paredes de taipa e paralelepípedos na frente e um banco desgastado pelo uso.

Sob o colmo elevado do telhado, uma janela estava entreaberta. Raul escalou a fachada e, sem acordar a pessoa que dormia na cama, depois de ter colocado a chave embaixo do relógio, percorreu o quarto e revistou os armários. Convencido de que não havia armadilhas para ele, uma suspeita que não era infundada, desceu a escada.

A porta da casa de campo não estava fechada. Uma grande sala ocupava o térreo, servindo ao mesmo tempo como cozinha e sala, e terminava em uma alcova.

Após desfazer sua mala e dobrar as roupas em uma cadeira, Raul pendurou uma folha de papel com os dizeres *"Por favor, não me acorde"* e vestiu um pijama luxuoso. Soavam as cinco horas em um grande relógio de pêndulo.

"Em três minutos estarei dormindo", disse para si mesmo. "Apenas o tempo suficiente para pensar nesta questão, sem tentar resolvê-la: que nova e excitante aventura o destino me reserva?"

Naquele momento, para ele, o destino tinha cabelos louros, olhos desorientados e uma boca infantil.

AS EXPLICAÇÕES DE THÉODORE BÉCHOUX

Raul d'Avenac saltou da cama e agarrou Béchoux pela garganta, vociferando:

– Ordenei que me deixassem dormir em paz, e você tem o desplante de me acordar!

Béchoux protestou:

– Mas não, mas não… Eu estava vendo você dormir, e não o reconheci. Você está mais bronzeado… está muito corado. Você parece um cara do sul.

– Por alguns dias, de fato. Quando se é da velha nobreza do Périgord[4], deve-se ter uma tez de tijolo velho.

Apertaram-se as mãos afetuosamente, encantados de se verem mais uma vez. Eles tinham realizado coisas tão grandes juntos! Que grandes aventuras!

---

[4] Antiga província da França, hoje faz parte do Departamento da Dordonha. (N.T.)

– Você se lembra – disse Raul d'Avenac –, você se lembra da época em que meu nome era Jim Barnett e eu dirigia uma agência de inteligência? Lembra-se do dia em que eu recuperei todo o seu pacote de títulos ao portador?... Lembra-se da minha lua de mel com sua esposa?[5] A propósito, como ela está? Você ainda está divorciado?

– Sempre.

– Ah, os bons velhos tempos!

– Bons tempos! – aprovou Béchoux, emocionado. – E a história da mansão misteriosa, você se lembra?[6]

– Se eu me lembro? A história dos diamantes que estavam escondidos debaixo do seu nariz!

– Não faz nem dois anos! – disse Béchoux, com a voz embargada pelas lágrimas.

– Mas como você me encontrou? Como você descobriu que eu era Raul d'Avenac?

– Foi por acaso... – disse Béchoux. – Recebi uma denúncia de um de seus cúmplices que chegou à prefeitura e eu interceptei.

D'Avenac abraçou-o com uma efusão espontânea.

– Você é um irmão, Théodore Béchoux! E pode me chamar de Raul... Sim, um irmão. Vou compensá-lo. Veja, não vou esperar nem um segundo a mais para devolver os três mil francos que estavam no bolso secreto da sua carteira.

Foi a vez de Béchoux agarrar o amigo pela garganta. Ele ficou fora de si.

– Ladrão! Seu bandido! Você entrou no meu quarto ontem à noite! Você esvaziou minha carteira! Seu desgraçado!

---

[5] Essas aventuras são narradas no livro *Agência Barnett e Associados: as novas aventuras de Arsène Lupin (L'Agence Barnett et Cie,* 1928*).* (N.T.)

[6] *Arsène Lupin e a mansão misteriosa (La demeure mystérieuse,* 1928). (N.T.)

Raul ria como um louco.

– O que você queria, meu velho? Não se dorme assim com a janela aberta… Eu queria que você visse o perigo… Tirei isto de debaixo de seu travesseiro… Admita que é engraçado!

Béchoux admitiu, conquistado por completo pela alegria de Raul. E, como Raul, também começou a rir, a princípio com raiva, depois naturalmente e sem segundas intenções:

– Santo Lupin! Continua o mesmo! Não vale nem dois centavos! Você não tem vergonha na sua idade?

– Então me denuncie.

– Não é possível – disse Béchoux, suspirando. – Você escaparia novamente. Não há realmente nada que eu possa fazer contra você… Além disso, seria desleal da minha parte. Eu te devo muitos favores.

– E eu farei ainda mais. Viu? Bastou uma ligação sua para que eu viesse descansar na tua cama e tomar teu café da manhã.

De fato, uma vizinha que ajudava Béchoux com as tarefas domésticas tinha acabado de trazer café, pão e manteiga. Raul saboreou porções generosas e esvaziou a xícara. Depois ele se barbeou, lavou-se lá fora em uma banheira de água fria e, restaurado, rejuvenescido, deu um soco vigoroso no estômago de Béchoux.

– Vá em frente com seu discurso, Théodore. Seja breve e meticuloso, eloquente e seco, tumultuoso e metódico. Não deixe de fora um único detalhe, e não dê detalhes demais… mas primeiro deixe-me olhar para você!…

Ele o agarrou pelos ombros e o examinou:

– Continua o mesmo… Você não mudou nada! Esses braços compridos… Esse rosto, ao mesmo tempo bem-humorado e rude, pretensioso e entojado… Essa elegância de garçom… Realmente, você tem estilo. E agora, desembuche. Não vou interromper uma única vez.

Béchoux refletiu e começou:

– A casa ao lado…

– Só uma coisa – disse Raul. – Em que condição você está envolvido neste caso? Como brigadeiro da Sûreté?

– Não. Como alguém que conhece a casa há dois meses, ou seja, desde abril… quando vim para Radicâtel para convalescer, depois de uma pneumonia dupla que quase…

– Tudo bem. Continue. Não vou perguntar mais nada.

– Então, eu estava dizendo que a vila de Barre-y-va…

– Que raio de nome! – exclamou d'Avenac. – É o mesmo nome daquela pequena capela empoleirada na costa, perto de Caudebec, e para onde vai a barra, quer dizer, o fluxo de maré que sobe o Sena duas vezes ao dia, especialmente no equinócio. "La barre y va", a barra vai para lá. Ou melhor, ela sobe até aquele lugar, apesar da altura. É isso mesmo, não é?

– Isso. Mas não é o Sena propriamente dito que sobe até a vila, mas o afluente que você deve ter notado, o Aurelle, que corre para o Sena, e que volta e meia transborda quando sobe a maré, com mais ou menos violência.

– Deus, você fala muito! – disse Raul, bocejando.

– Então. Ontem, ao meio-dia, vieram me procurar na mansão…

– Que mansão?

– Aquela na Barre-y-va.

– Ah, há ali uma mansão?

– É claro. Um pequeno castelo, onde vivem duas irmãs.

– De qual congregação?

– Hein?

– Ora. Você está falando de irmãs. São as irmãzinhas dos pobres? As visitandinas?[7] Explique-se.

[7] Irmãs da Ordem da Visitação de Santa Maria, fundada em 1610. (N.T.)

– Maldição! Impossível explicar qualquer coisa…

– Bem, você quer que eu conte a tua história? Você pode me interromper se eu estiver errado. Mas eu nunca estou errado. É um princípio. Escute. A mansão de Barre-y-va, que já fez parte do senhorio de Basmes, foi comprada, em meados do século XIX, por um armeiro de Le Havre. Seu filho, Michel Montessieux, foi criado ali, casou-se ali e ali perdeu sua esposa e filha, uma logo após a outra. Foi deixado sozinho com duas netas, Bertrande e Catherine, as tais irmãs. Aborrecido, ele se mudou para Paris, mas continuou vindo duas vezes por ano: ficava por um mês na época da Páscoa, e por um mês durante a temporada de caça. A mais velha das netas, Bertrande, casou-se cedo com o senhor Guercin, um industrial de Paris, que tinha grandes negócios na América. Tudo certo até aqui?

– Certo.

– A pequena Catherine vivia com Michel Montessieux e um jovem criado, Arnold, que era muito dedicado a seu mestre, o senhor Arnold, como era chamado. Ela foi educada e instruída da melhor forma possível, livre de qualquer restrição, um pouco caprichosa, exuberante e sonhadora, amante do exercício e da leitura. Divertia-se muito nos domínios da Barre-y-va, nadando nas águas geladas do Aurelle, secando-se na grama, com as pernas para o ar, contra uma velha macieira. Seu avô a amava muito, mas ele era um homem estranho, taciturno, que só se interessava pelas ciências ocultas, pela química e também pela alquimia, como dizem. Ainda está me acompanhando?

– Mas é claro!

– Bem, há 20 meses, no fim de setembro, na noite do dia em que deixou a Normandia após sua estada de costume, o avô Montessieux morreu repentinamente em seu apartamento em Paris. A filha mais velha, Bertrande, estava em Bordeaux com o marido. Ela veio buscar a irmã às pressas, e as duas ficaram juntas. O avô tinha deixado menos riqueza do que se imaginava e nenhum testamento. A propriedade de Barre-y-va foi abandonada. As grades e os portões da mansão foram trancados. Nunca mais entrou ninguém.

– Ninguém – disse Béchoux.

– Foi somente neste ano que as duas irmãs decidiram passar o verão ali. O senhor Guercin, o marido de Bertrande, que havia retornado à França, partiu novamente e depois voltou para se juntar a elas. Elas trouxeram o senhor Arnold e uma camareira, que estavam a serviço de Bertrande havia vários anos. Também contrataram temporariamente duas mocinhas do vilarejo, e todos começaram a trabalhar, colocando a casa senhorial em ordem e limpando o jardim, que havia se tornado um verdadeiro matagal. Aí está, meu velho. Ainda estamos de acordo?

Béchoux escutava Raul com um ar estúpido. Ele reconhecia o conteúdo das informações que havia reunido sobre este assunto, que resumira ele em um caderno que havia colocado no armário, em seu quarto, entre pacotes de documentos antigos. Durante sua visita noturna, Raul d'Avenac teria tido tempo para descobrir e ler estas páginas?

– De acordo – gaguejou Béchoux, que não tinha forças para protestar.

– Então, termine – disse Raul. – O teu caderno secreto não diz nada sobre o dia de ontem… O desaparecimento de Catherine Montessieux… O assassinato de não sei quem. Acabe com isso, meu velho.

– Bem, é isso – disse Béchoux, que mal conseguia se controlar. – Todos esses trágicos acontecimentos de ontem ocorreram em poucas horas… Mas primeiro você precisa saber que o senhor Guercin, marido de Bertrande, havia retornado no dia anterior. Um tipo *bon vivant*, este Guercin. Homem de negócios, bem-apessoado, sólido, esbanjando saúde. Jantei com eles, e a noite foi muito alegre; e a própria Catherine, apesar de seu humor taciturno e de certos incidentes, mais ou menos graves, que a perturbaram por algum tempo, a própria Catherine estava rindo muito. Voltei para casa para dormir, cerca de dez e meia. Durante a noite, nada aconteceu. Nenhum ruído suspeito. Foi somente pela manhã, ao meio-dia, que Charlotte, criada de Bertrande Guercin, veio correndo até minha casa, gritando:

– A senhorita desapareceu... ela deve ter se afogado no rio...

Raul d'Avenac interrompeu Béchoux:

– Suposição improvável, Théodore. Você me disse que ela era uma boa nadadora.

– Nunca se sabe... um escorregão, alguma coisa que pode ter acontecido... Enfim, ocorreu que, quando cheguei à mansão, encontrei a irmã em pânico, o cunhado e o senhor Arnold muito agitados, e apontavam para um roupão de banho abandonado no parque, entre duas pedras, por onde ela costumava descer até a água.

– Isso não prova nada...

– Pelo contrário, pode provar alguma coisa. E, como eu disse, havia várias semanas que ela estava absorta, ansiosa... E então, inevitavelmente, chegamos à conclusão de que...

– Que ela se matou? – perguntou Raul, pacificamente.

– Pelo menos é isso que acha a sua pobre irmã.

– Mas ela teria algum motivo para se matar?

– Talvez. Ela estava noiva, e seu casamento...

Raul exclamou, com emoção:

– Hein? O que, noiva? Ela ama alguém?

– Sim, um jovem que ela conheceu neste inverno em Paris, e essa é a razão pela qual as duas irmãs vieram se enterrar na mansão. O conde Pierre de Basmes, que vive com sua mãe no castelo de Basmes, antigo senhorio da vila, que fica no planalto... Veja, você pode vê-lo daqui.

– E existem obstáculos ao casamento?

– A mãe não quer que o filho se case com uma jovem que não tem nem fortuna nem título. Ontem pela manhã chegou uma carta de Pierre de Basmes para Catherine. Nessa carta, que mais tarde encontramos, ele anunciava sua partida imediata. Estava partindo, embora desesperado, disse, e implorava a Catherine que não o esquecesse e esperasse por ele. Uma hora depois, ou seja, às dez horas, Catherine saiu. E não foi mais vista.

– Talvez ela tenha saído sem ninguém perceber.

– De jeito nenhum.

– Então você acredita no suicídio?

Béchoux respondeu de forma clara:

– Eu, não. Eu acredito em assassinato.

– Mas que diabos? E por quê?

– Porque, no decorrer de nossas investigações, encontramos uma prova material, visível, de que havia, ou ainda pode haver... no parque, ou seja, no entorno dos muros da propriedade... um bandido que ronda e mata.

– Você já o viu?

– Não, mas ele já agiu uma segunda vez.

– Ele matou alguém?

– Sim, ele matou. Como eu disse a você ao telefone ontem, ele matou. Ontem, ao bater das três horas, diante dos meus olhos, o senhor Guercin caminhava ao longo do rio e atravessava aquela velha ponte...

– Chega!

– Como assim, chega? Mas eu nem comecei.

– Pare de falar.

– Que absurdo! Tudo o que vou contar a você é um drama, e um drama sobre o qual temos certeza, temos fatos. Se você se recusa a conhecer esses fatos, como pode...?

– Eu não me recuso a conhecer os fatos, mas me recuso a ouvi-los duas vezes. E como você vai ter que relatá-los aos digníssimos senhores do Ministério Público, que virão em breve, é inútil que você se esforce para me contar em detalhes tudo aquilo que já vai dizer no local do crime.

– Mas...

– Não, meu velho... Não dá! Quando você conta uma história, é um tédio imensurável. Dá um tempo.

– Como assim?

– Vamos fazer um passeio no parque. E, acima de tudo, nem uma palavra durante esse passeio. Você tem um grande defeito, Béchoux, é muito falador. Tome o exemplo de seu velho amigo Lupin, sempre tão discreto, reservado em suas palavras, e que não fica se gabando por aí, falando como um papagaio. Só conseguimos pensar bem quando ficamos em silêncio e quando enfrentamos os pensamentos sem ser incomodados pelas considerações ociosas de um tagarela que enfileira palavras uma atrás da outra, como as missangas de um rosário.

Béchoux desconfiou que esse discurso era dirigido a ele e que era ele o tagarela que falava como um papagaio. No entanto, ao se afastarem de braços dados, como velhos camaradas unidos por uma sólida amizade e por uma estima natural, ele pediu permissão para fazer uma última pergunta, uma simples pergunta.

– Pergunte.

– Você vai responder seriamente?

– Sim.

– Bem, resumindo, qual é a sua opinião sobre este duplo mistério?

– É que ele não é duplo.

– Mas há dois mistérios. Primeiro, o desaparecimento de Catherine, e segundo, o assassinato do senhor Guercin.

– Então foi o senhor Guercin que foi assassinado?

– Sim.

– Bem, isso é um mistério. Onde está o outro?

– Vou falar de novo. O desaparecimento de Catherine.

– Catherine não desapareceu.

– E então, onde ela está?

– No quarto dela, dormindo.

Béchoux olhou de lado para seu velho amigo e suspirou. "Francamente, este homem nunca levava nada a sério."

Naquele momento, ao se aproximarem do portão, viram uma mulher alta, de cabelos escuros, que, proibida de sair da propriedade, guardada por um policial parado junto ao portão, lhes acenou para se apressarem.

Béchoux ficou imediatamente preocupado.

– A empregada de Bertrande Guercin – murmurou ele. – Exatamente como ontem, quando ela veio me dizer que Catherine tinha desaparecido. O que pode ser agora?

E adentrou o portão, seguido por Raul.

– Ei, Charlotte, o que foi? – disse ele, chamando-a de lado. – Nada de novo, espero eu?

– A senhorita Catherine – gaguejou a empregada. – Foi madame Guercin que me pediu para chamá-lo.

– Diga logo! Um infortúnio, não foi?

– Pelo contrário. A senhorita voltou para casa ontem à noite.

– Ela voltou para casa ontem à noite?

– Sim, a senhora estava rezando aos pés do marido quando viu a senhorita vindo em sua direção, chorando. Ela estava sem forças. Teve que ser colocada na cama e socorrida.

– E agora?

– A senhorita está em seu quarto, dormindo.

– Maldição! – disse Béchoux, olhando novamente para Raul. – Maldição! Caramba, caramba!... Ela está em seu quarto e está dormindo! Maldição!

Raul d'Avenac fez um gesto que significou:

– Eu não disse? Quando você vai admitir, de uma vez por todas, que eu estou sempre certo?

– Caramba! – repetia Béchoux, que não encontrava outra palavra para expressar seu espanto e admiração.

O ASSASSINATO

A propriedade de Barre-y-va forma um retângulo, muito alongado, de cerca de cinco hectares, dividido de forma desigual pelo Rio Aurelle. O rio tem sua nascente fora dos muros, e atravessa o parque ao longo de toda a sua extensão.

À direita, o terreno é bastante plano. Primeiro, há um pequeno jardim botânico, em sua confusão de plantas perenes e multicoloridas, segundo, a casa senhorial, terceiro, os belos gramados em estilo inglês. À esquerda, vê-se um alojamento de caça abandonado na entrada de um terreno ondulado que gradualmente se torna mais selvagem, eriçado por rochas cobertas de abetos. Um muro circunda toda a propriedade e de alguns dos pontos mais altos das colinas circundantes pode-se olhar para baixo.

No meio do rio, uma ilha se conecta às duas margens pelos arcos de uma ponte de madeira. Quase todas as tábuas estão podres, a ponto de ser perigoso atravessá-la. Nessa ilha, um velho pombal em forma de torre está caindo em ruínas.

Raul vagou por todos os lados, não como aqueles detetives que parecem cães de caça à espreita, farejando e procurando de onde vem o vento, mas como um caminhante que admira, se orienta, toma posse da paisagem e se familiariza com os caminhos e as trilhas.

– Já se decidiu? – murmurou Béchoux, ao final.

– Sim, é uma linda e pitoresca propriedade, gostei muito.

– Não estou falando sobre isso.

– Então o que é?

– O assassinato do senhor Guercin.

– Que insistente! Falaremos sobre isso quando chegar o momento.

– Já chegou o momento.

– Então vamos entrar na mansão.

A casa senhorial não tinha muito estilo: era simples, baixa, ladeada por duas alas, revestida com um reboco esbranquiçado e coberta com um telhado muito pequeno.

Dois guardas passeavam diante de suas portas e janelas.

Um amplo vestíbulo, do qual saía uma escada com um corrimão de ferro forjado, separava a sala de jantar de duas salas maiores e do salão de bilhar. Imediatamente após o assassinato, a vítima tinha sido levada para uma dessas salas, e o corpo estava ali, envolto em um sudário, rodeado por velas acesas e vigiado por duas mulheres locais. Bertrande Guercin rezava de joelhos, vestida de preto.

Béchoux disse algumas palavras em seu ouvido. Bertrande foi para a outra sala, onde a apresentaram a Raul d'Avenac.

– Meu amigo... meu melhor amigo... Eu falei dele à senhora muitas vezes... Ele nos ajudará.

Ela se parecia com Catherine, talvez mais bonita que sua irmã, com o mesmo encanto, mas tinha o rosto já danificado pela tristeza, e algo trágico nos olhos, onde se adivinhava todo o horror do crime cometido. Raul fez uma reverência.

– Se sua dor puder ser consolada, esteja certa, minha senhora, de que o culpado será descoberto e punido.

– Essa é minha esperança – disse ela em voz baixa. – Farei o necessário para isso. E todos os que me rodeiam também, não é verdade, Charlotte? – acrescentou, dirigindo-se à sua empregada.

– Madame, pode contar comigo – ela disse gravemente, levantando os braços como se fizesse uma promessa sagrada.

Ouviu-se um zumbido de motores. O portão foi aberto, e dois carros apareceram.

O criado, Arnold, entrou apressadamente. Era um homem de cerca de 50 anos, magro, de pele muito escura, vestido como um guarda e não como um criado.

– Os magistrados, senhor – disse ele a Béchoux. – Há também dois médicos: o de Lillebonne, que veio ontem, e um médico legista. A madame vai atendê-los aqui?

Foi Raul quem respondeu, com uma voz clara, sem hesitações:

– Um momento. Há duas questões a serem consideradas. Uma delas, o atentado ao senhor Guercin. Sobre esse assunto, deixemos tudo a cargo da Justiça, e que a investigação prossiga como deve ser. Mas, quanto à sua irmã, senhora, tomemos todas as precauções necessárias. A polícia foi notificada de seu desaparecimento ontem?

– Obviamente – interveio Béchoux –, já que este desaparecimento também nos parecia ser a consequência de um assassinato, e estávamos em busca do culpado dos dois assassinatos, o dela e o do senhor Guercin.

– Mas, quando ela chegou em casa esta manhã, não foi vista por nenhum dos guardas?

– Não – disse Bertrande. – Não. De acordo com o que Catherine me disse, ela entrou por uma pequena porta no jardim, da qual tinha a chave, e conseguiu entrar por uma janela no andar térreo sem que ninguém a visse.

– E desde então não se falou do seu retorno?

– Sim – disse o criado Arnold. – Eu disse há pouco ao sargento de polícia que nossos temores eram um alarme falso, e que a senhorita, um pouco doente, tinha adormecido ontem em um quarto isolado, um velho cômodo abandonado, onde ela foi encontrada à noite.

– Bem – disse Raul – a história é válida, mas teremos que nos ater a ela, e eu peço que chegue a um acordo com sua irmã, minha senhora. O que ela fez durante o dia e o que deixou de fazer, não é uma questão de justiça. Há apenas um problema, o do crime, e a investigação não irá além dos limites que estabelecemos para ele. Essa não é sua opinião, Béchoux?

– Você vê a situação exatamente como eu vejo – disse Béchoux, com um ar importante.

Enquanto os dois médicos examinavam o corpo, houve um primeiro contato entre os empregados da mansão e os magistrados na sala de jantar. Um dos policiais lia seu relatório. O juiz de instrução (seu nome era Vertillet) e o procurador-geral adjunto faziam algumas perguntas. Mas todo o objetivo da investigação estava no testemunho de Béchoux, que era conhecido dos magistrados, e que não falaria como policial, mas como testemunha dos fatos que ele havia presenciado.

Béchoux apresentou seu amigo Raul d'Avenac, que por uma feliz coincidência, disse, estava hospedado em sua casa. E aos poucos, com palavras escolhidas, com parênteses que travavam o seu discurso, e com a entonação de um homem que fala apenas aquilo que sabe, mas que fala como deve ser falado, ele se expressou assim:

– Devo dizer que ontem, na mansão, nós estávamos – digo nós, pois as senhoras bem podem me considerar uma figura familiar da casa nos últimos dois meses –, nós estávamos em um estado de ansiedade muito peculiar e, além disso, sem nenhum motivo visível. Por razões sobre as quais é desnecessário insistir, imaginamos que algum acidente havia acontecido com a senhorita Montessieux, e confesso que eu, inicialmente, por um descuido contra o qual minha experiência no assunto deveria ter-me advertido, me entreguei a apreensões que a realidade não justificava; uma vez que Catherine Montessieux, depois de um banho no rio, cansada sem dúvida, e indisposta, entrou para descansar, sem que nenhum dos habitantes desta mansão – eu não estava aqui no momento – tenha percebido, e deixando para trás um roupão que poderia nos levar a supor…

Béchoux fez uma pausa, enredado em sua frase interminável. Então, lançando um olhar de inteligência a Raul, como se lhe dissesse "Bom, Catherine está fora de perigo…", ele retomou, sem o mínimo constrangimento:

– De qualquer forma, eram três horas. Chamado às pressas para a mansão, eu tinha ajudado nas buscas inúteis e já tínhamos almoçado. Eu estava ansioso o suficiente, como já lhes disse, mas com uma ansiedade que, no entanto, estava misturada com uma certa esperança. "Como não conseguimos encontrar nada", pensei, "devemos considerar a hipótese de um mal-entendido, que se esclarecerá a si mesmo." A senhora Guercin, um pouco mais calma, tinha ido para o seu quarto. Arnold e Charlotte estavam almoçando na cozinha; como os senhores devem ter notado, esta cozinha fica à direita, nos fundos da mansão, e abre-se para o outro lado. O senhor Guercin e eu estávamos discutindo o incidente, e tentando reduzi-lo a suas verdadeiras proporções, quando ele me disse: "Espere, falta visitarmos a ilha".

"Para quê?", disse eu. – Lembro-lhe, senhor juiz de instrução que o senhor Guercin só tinha chegado no dia anterior e não entrava na propriedade Barre-y-va havia anos, portanto, não tinha conhecimento de detalhes que todos nós sabíamos, já que a frequentávamos havia mais de dois meses. "Para quê?", perguntei, "pois a ponte está meio demolida, e só se atravessa em caso de emergência."

"Como, então", perguntou o senhor Guercin, "chegamos ao outro lado do rio?"

"Quase ninguém vai até lá", respondi, "e não há razão para que, após seu banho, a senhorita Catherine tenha tido vontade de ir até lá, seja, até a ilha ou até a outra margem."

"De fato… de fato…", murmurou ele. "Mas, mesmo assim, vou dar uma ida até lá."

Béchoux fez uma nova pausa e, avançando até a soleira, pediu ao senhor Vertillet e ao procurador adjunto que se juntassem a ele, em uma estreita faixa de cimento que corria ao longo do piso térreo.

– Essa conversa ocorreu aqui, senhor juiz de instrução. Eu não saí desta cadeira de ferro, enquanto o senhor Guercin se afastava. Os senhores conseguem perceber bem os lugares e as distâncias, certo? Calculo que uma linha reta deste terraço até a entrada da ponte seria, no máximo, de oitenta metros. Ou seja, e os senhores podem ver por si mesmos, uma pessoa de pé neste terraço pode ver claramente tudo acima do primeiro arco da ponte, e acima do segundo arco que atravessa o outro braço do rio, e pode ver claramente tudo na superfície da pequena ilha. Sem árvores. Nem mesmo arbustos. O único obstáculo para a vista é a velha torre do pombal. Mas na parte onde o drama ocorreu, ou seja, em frente a essa torre, temos o direito de afirmar que a paisagem é absolutamente nua. Ninguém pode se esconder ali… ninguém, eu insisto.

– A não ser dentro da torre – observou o senhor Vertillet.

– A não ser ali dentro – aprovou Béchoux. – Mas vou falar sobre isso. Nesse meio-tempo, o senhor Guercin segue por esta alameda à esquerda, que contorna o gramado, toma este caminho malconservado (já que é praticamente inutilizado) que leva à ponte, e coloca seu pé sobre a primeira prancha da armação da ponte. Uma tentativa cautelosa de apalpação, com uma mão agarrando o corrimão oscilante. Então a tentativa continuou, mais rapidamente, e eis o senhor Guercin na ilha. Só então o objetivo desta expedição se torna aparente para mim: o senhor Guercin segue direto para a porta do pombal.

– Poderíamos nos aproximar? – sugeriu o senhor Vertillet.

– Não, não! – gritou com veemência Béchoux. – Devemos ver o drama a partir daqui. O senhor deve, senhor juiz de instrução, imaginá-lo como eu o vi, do mesmo lugar e do mesmo ângulo visual. Do mesmo ângulo visual – repetiu ele, muito orgulhoso de sua expressão. – E devo dizer, além disso, que eu não era, que eu não fui a única testemunha do drama. O senhor Arnold, que havia terminado seu almoço, estava fumando um cigarro, em pé neste mesmo terraço onde estamos, e em frente à cozinha, que fica, como o senhor pode ver, vinte metros à nossa direita. E ele também está seguindo o senhor Guercin com seus olhos. A situação está clara em sua mente, senhor juiz de instrução?

– Continue, senhor Béchoux.

Béchoux continuou:

– No chão, como em todo o solo da ilha, há silvas, urtigas, todo um emaranhado de plantas rastejantes que impedem a caminhada, e eu tenho muito tempo para me perguntar por que o senhor Guercin está indo para o pombal? Não há nenhuma razão para que a senhorita Catherine tenha se refugiado ali. O que é, então? Curiosidade? Uma necessidade de estar atento? O senhor Guercin está a três, quatro passos da porta. Os senhores podem ver a porta claramente, não podem? Está de frente para nós, baixa, abobadada, plantada na base dos grandes escombros sobre os quais repousa a parede arredondada. Um cadeado e duas fechaduras grandes a mantêm fechada. O senhor Guercin se abaixa e manuseia o cadeado, que cede imediatamente, por uma razão muito simples que vocês verão mais tarde: um dos parafusos já estava solto da pedra onde fora rosqueado. Restam as duas fechaduras. O senhor Guercin abre a de cima, depois a de baixo. Ele agarra o trinco e puxa a porta para si. E então, de repente, o drama! Um tiro, antes que ele tivesse tempo de se proteger com um gesto de braço ou um movimento de retirada, antes mesmo que ele tivesse tempo de discernir que era um ataque, um tiro repentino. O senhor Guercin caiu.

Béchoux ficou em silêncio. Sua história, bem contada, com uma convicção de tirar o fôlego que traía o pavor que sentira no dia anterior, produziu um grande efeito. A senhora Guercin chorava. Os magistrados, intrigados, esperavam explicações. Raul d'Avenac ouvia sem manifestar suas impressões. E, no silêncio, senhor da audiência, Béchoux terminou:

– Não há dúvida, senhor juiz de instrução, que o tiro foi disparado de dentro. Disso temos pelo menos umas vinte provas. Vou destacar duas. Primeiro, a impossibilidade de se esconder fora daquele lugar, e segundo toda a fumaça que escapava do interior e subia pela fenda na parede. É claro que não hesitei um único segundo para adquirir esta certeza. Ela veio até mim imediatamente. E enquanto eu corria, e o senhor Arnold se juntou a mim, seguido de perto pela empregada, eu disse para mim mesmo: "O assassino está aqui, atrás desta porta, e como ele está armado eu tentarei desarmá-lo". Embora eu não o tenha visto, pois a porta escondia de mim o que se passava lá dentro, não havia a menor dúvida que abalasse minha absoluta convicção. No entanto, quando o senhor Arnold e eu cruzamos a ponte – e eu juro, senhor juiz de instrução, que nenhum de nós tomou qualquer precaução ao cruzá-la –, quando chegamos diante da porta aberta, não havia ninguém com uma arma na mão... ninguém!

– Está claro que havia alguém escondido na torre – disse vivamente o senhor Vertillet.

– Eu não tinha dúvidas – disse Béchoux. – Como precaução, ordenei que o senhor Arnold e Charlotte vigiassem a parte de trás, caso houvesse uma janela ou alguma saída, e me ajoelhei ao lado do senhor Guercin. Ele estava agonizando, incapaz de falar nada além de palavras incoerentes. Eu desatei sua gravata, ou colarinho, e abri sua camisa manchada de sangue. Naquele momento a senhora Guercin, que ouvira o estampido, juntou-se a mim. O marido morreu nos braços dela.

Houve uma pausa. Os dois magistrados trocavam algumas palavras em voz baixa.

Raul d'Avenac estava pensativo.

– Agora – disse Béchoux –, se o senhor puder me acompanhar, senhor juiz de instrução, eu mostrarei no próprio local as informações adicionais.

O senhor Vertillet acenou com a cabeça. Béchoux, cada vez mais inchado de importância, grave e solene, mostrava o caminho. Todos seguiam para a ponte, que um rápido exame mostrou ser mais sólida do que eles imaginavam. Ela balançava, de fato; mas as tábuas, e especialmente as vigas cruzadas, estavam em bom estado, e podia-se aventurar ali sem perigo.

A torre do antigo pombal era estreita e pouco elevada, revestida com seixos pretos e brancos dispostos em xadrez, e por linhas de tijolos pequenos, muito vermelhos. Os buracos que outrora serviram como ninhos para pombos tinham sido preenchidos com cimento. Faltava parte do telhado, e a cumeeira das paredes estava desmoronando.

Eles entraram. A luz vinha de cima, por entre as vigas do telhado, sobre as quais quase não restavam telhas. O piso estava lamacento e cheio de detritos, com poças de água negra.

– O senhor entrou e procurou, senhor Béchoux? – perguntou o senhor Vertillet.

– Sim, senhor juiz de instrução – respondeu o brigadeiro, em um tom que significava que a visita e a busca tinham sido realizadas como ninguém poderia ter feito. – Sim, senhor, e foi fácil para mim, à primeira vista, perceber que o assassino não estava na parte visível que se estende diante de nós. Mas, questionando a senhora Guercin, soube que ela se lembrava da existência de um andar inferior, onde, quando criança, costumava descer por uma escada com seu avô. De imediato, não querendo que nada essencial fosse tocado, dei ordens ao senhor Arnold para correr em sua bicicleta e chamar um médico de Lillebonne, bem como a polícia. E, enquanto a senhora Guercin rezava ao lado de seu marido e Charlotte ia buscar cobertores para estendê-lo e um lençol para cobri-lo, eu comecei minhas investigações.

– Sozinho?

– Sozinho – disse Béchoux, e essa palavra saiu de sua boca com imponência, como se ele representasse (e com que autoridade!) todas as forças da polícia e todos os poderes da Justiça.

– E quanto tempo demorou?

– Foi breve, senhor juiz de instrução. Logo de imediato, no chão, naquela poça, encontrei a arma do crime. Uma pistola Browning de sete tiros. Você pode vê-la ali, no mesmo lugar. Depois encontrei, sob este monte de pedras, um alçapão que levantei, e onde estão fixados os dois corrimões de uma pequena escada de madeira, que se torce sobre si mesma e desce até o andar inferior do qual a senhora Guercin se lembrava. Estava vazio. Teria a gentileza de me acompanhar até lá, senhor juiz de instrução?

Béchoux acendeu sua lanterna de bolso e conduziu os magistrados. Raul os seguiu.

Era uma sala quadrada, inscrita na circunferência da torre, abobadada, baixa e que media talvez cinco por cinco metros. A água do primeiro andar infiltrava-se pelas rachaduras do teto, formando um bom meio metro de lodo. Béchoux observou que essa espécie de adega fora iluminada outrora com luz elétrica, pois os fios e toda a instalação ainda eram visíveis. Um cheiro de umidade e podridão sufocava todos.

– E ninguém, senhor Béchoux, não havia ninguém escondido aqui também? – questionou o senhor Vertillet.

– Ninguém.

– Nenhum esconderijo?

– Em uma segunda visita, desta vez com um dos policiais, fiquei convencido de que não havia ninguém. E, além disso, como se podia respirar neste lugar, ainda mais subterrâneo? Foi um problema que deu trabalho para solucionar.

– E o senhor solucionou?...

– Sim. Há um duto de ar que atravessa a abóbada e a base da torre, e que se abre acima do nível da água, mesmo em momentos de maré alta. Eu o mostrarei, lá fora, atrás do pombal. De qualquer forma, está meio obstruído.

– E então, senhor Béchoux, quais são suas conclusões?

– Eu não tenho conclusão nenhuma, senhor juiz de instrução, confesso humildemente que não tenho nenhuma. Sei que o senhor Guercin foi assassinado por alguém que estava na torre, mas o que aconteceu com esse alguém, eu desconheço. E por que alguém o mataria? Já estavam de olho nele? Ele foi surpreendido? Foi um crime de vingança, de ganância, ou um acaso? Eu não sei. Alguém, repito, que estava naquela torre, atrás daquela porta, disparou um tiro de revólver. Isso, até segunda ordem, é tudo o que pode ser dito, senhor juiz de instrução, e todas as nossas investigações, assim como as investigações subsequentes da polícia, não levaram a uma porção maior da verdade.

A declaração de Béchoux foi tão categórica que parecia que estavam diante de um mistério que nunca seria resolvido. Foi o que o senhor Vertillet afirmou, não sem certa ironia.

– Mas o assassino tem que estar em algum lugar. A menos que ele tenha ido para o subsolo, ou voado para o céu, é inadmissível que ele tenha desaparecido no ar, como seu relato nos faz acreditar.

– Procure, senhor juiz de instrução – disse Béchoux, em um tom de voz agudo.

– É claro que vamos investigar isso, brigadeiro, e estou certo de que nossa colaboração produzirá bons resultados. Não há milagres em matéria penal. Há procedimentos e recursos mais ou menos habilidosos. Vamos encontrá-los.

Béchoux sentiu que não era mais necessário; seu papel estava terminado, por enquanto. Pegou Raul d'Avenac pelo braço e foram embora.

– O que você diz?

– Eu? Nada.

– Mas você tem alguma ideia?

– Sobre o quê?

– Sobre o assassino... sobre como ele escapou?

– Muitas ideias.

– Eu estava de olho em você. Você parecia estar pensando em outra coisa, estava entediado.

– Foi sua história que me aborreceu, Béchoux. Meu Deus, como você foi chato!

Béchoux resmungou.

– Meu testemunho foi um modelo de concisão e lucidez. Eu disse tudo o que precisava ser dito, e nada mais, assim como fiz tudo o que precisava ser feito.

– Você não fez nada certo, porque não foi bem-sucedido.

– E você? Admita que você não está muito mais avançado do que eu.

– Muito mais avançado.

– Em que? Você mesmo me disse que não sabia de nada.

– Eu não sei nada. Mas eu sei tudo.

– Explique-se.

– Eu sei como tudo aconteceu.

– Hein?

– Confesse que está louco para saber como foi.

– Sim… louco… – gaguejou Béchoux, que de repente fraquejou completamente e olhou para o amigo com um ar atônito.

– E você pode me dizer?

– Oh, não, de jeito nenhum!

– Por quê?

– Você não entenderia.

ATAQUES

Béchoux não protestou contra essa afirmação, nem sequer pensou em se ofender. Raul, neste caso, como em todos os outros, estava discernindo coisas que ninguém mais via. Então, como ele poderia se ofender se Raul não o tratasse com mais consideração do que foi tratado pelo juiz de instrução ou pelo procurador adjunto?

Mas ele se agarrou ao braço do amigo e, enquanto o conduzia pelo parque, discutia sobre a situação na esperança de obter alguma resposta às perguntas que estava fazendo pensativamente para si mesmo.

– Que enigma! Tantos pontos a serem esclarecidos! Não é preciso enumerá-los, certo? Você percebe tão bem quanto eu, por exemplo, que não é possível admitir que um homem à espera na torre deveria ter ficado lá após seu crime, já que não foi encontrado lá; nem que deveria ter fugido, já que não foi visto em fuga...

– E daí?

– E o motivo do crime?

– Como?

– O senhor Guercin estava aqui desde o dia anterior, e a pessoa que queria se livrar dele – pois alguém mata para se livrar de alguém –, essa pessoa teria adivinhado que o senhor Guercin atravessaria a ponte e abriria a porta do pombal? Inacreditável!

Béchoux fez uma pausa e observou o rosto do companheiro. Raul não se manifestou. Ele continuou:

– Eu sei... você vai objetar que este crime foi talvez o resultado de um acaso, e que ele foi cometido porque o senhor Guercin entrou no covil do bandido. Hipótese absurda (Béchoux repetiu essa palavra em tom desdenhoso, como se desprezasse Raul por ter imaginado tal hipótese). Sim, absurda, pois o senhor Guercin levou dois ou três minutos para forçar a fechadura, e o indivíduo teria tido vinte vezes mais tempo para se esconder no andar inferior. Confesse que meu raciocínio é irrefutável, mas que você vai se opor a mim com outra versão.

Raul não se opôs de forma alguma. Ficou em silêncio. Então Béchoux trocou suas baterias e atacou por outro lado.

– É como o caso de Catherine Montessieux. Aí também, nada além de escuridão. O que ela fez ontem? Para onde ela foi? Como ela voltou, e a que horas? Um mistério. E ainda mais um mistério para você do que para mim, já que você não sabe nada sobre o passado dessa jovem, seus medos mais ou menos infundados, seus caprichos, enfim, nada.

– Absolutamente nada.

– Nem eu, a propósito. Mesmo assim, há alguns pontos essenciais sobre os quais eu poderia informá-lo.

– No momento, não estou interessado.

Béchoux ficou irritado.

– Mas por que cargas d'água você não está interessado em nada? No que você está pensando?

– Em você.

– Em mim?

– Sim.

– Em que sentido?

– No sentido habitual com que penso em você.

– Ou seja, como um idiota.

– Não, de modo algum, mas quanto a um ser eminentemente lógico e que age apenas de boa-fé.

– De modo que...

– De modo que tenho me perguntado desde esta manhã: por que você veio para Radicâtel?

– Eu te disse. Para me curar de uma pleurisia.

– Você estava certo em querer se tratar, mas poderia ter feito isso em outro lugar, em Pantin ou Charenton. Por que você escolheu este lugar? É o berço de sua infância?

– Não – disse Béchoux, embaraçado. – Mas esta cabana pertencia a um amigo meu, e então...

– Você está mentindo.

– Então fale!...

– Deixe-me ver seu relógio, meu estimado Béchoux.

O brigadeiro tirou do bolso seu velho relógio de prata que mostrou a Raul.

– Bem – disse Raul –, você quer que eu diga o que isso tem a ver com este caso?

– Nada – respondeu Béchoux, ficando cada vez mais aborrecido.

– Sim, aqui dentro há um cartãozinho, e este pequeno cartão é a fotografia da sua amante.

– Minha amante?

– Sim, a cozinheira.

– O que você está insinuando?

– Você é amante de Charlotte, a cozinheira.

– Charlotte não é uma cozinheira, ela é uma espécie de dama de companhia.

– Uma dama de companhia que cozinha e é sua amante.

– Você está louco.

– Em todo caso, você a ama.

– Eu não a amo.

– Então por que você mantém esta fotografia perto do coração?

– Como você sabe disso?

– Consultei seu relógio ontem à noite, estava sob o seu travesseiro.

Béchoux murmurou:

– Canalha!...

Ele estava furioso, furioso por ter sido enganado novamente, e ainda mais furioso por ser, para Raul, um objeto de ridicularia. Amante da cozinheira!

– Eu repito – disse, com entonação irritada – que Charlotte não é uma cozinheira, mas uma dama de companhia, uma leitora, quase uma amiga da senhora Guercin, que aprecia suas grandes qualidades de coração e mente. Tive o prazer de conhecê-la em Paris, e, quando entrei em convalescença, foi ela quem me falou desta casa de campo para alugar, e do bom ar que se respira em Radicâtel. Assim que eu cheguei, ela me introduziu à casa dessas senhoras, que imediatamente me receberam como um membro da família. Essa é a história toda. Ela é uma mulher de virtude comprovada, e eu a respeito demais para pedir-lhe que seja seu amante.

– Seu marido, então?

– Isso me interessa.

– Deveras. Mas como é que esta dama com um coração tão grande e uma conduta tão virtuosa concorda em viver em companhia do criado?

– O senhor Arnold não é um criado, mas um mordomo por quem todos nós temos consideração, e que conhece seu lugar.

– Béchoux – gritou Raul alegremente –, você é um homem sábio e um sortudo. A senhora Béchoux vai cozinhar para você pratos deliciosos e você vai me convidar para jantar. E eu acho que ela é muito bonita, sua noiva... um encanto... um charme... curvas adoráveis... Sim, sim, sou um apreciador, você sabe...

Béchoux apertou os lábios. Não gostava muito dessas piadas, e havia momentos em que Raul o aborrecia com seu ar pretensioso de superioridade.

Ele encurtou a conversa.

– Já chega disso. Vamos tratar apenas da senhorita Montessieux, e estas perguntas não têm nada a ver com ela.

Eles haviam retornado à mansão e, na sala onde a senhora Guercin havia estado uma hora antes apareceu Catherine, hesitante e pálida. Béchoux estava prestes a apresentar seu amigo quando este se curvou, beijou a mão da garota e disse carinhosamente:

– Olá, Catherine. Como você está?

Béchoux perguntou, confuso:

– O quê! Não é possível! Então você conhece a senhorita?

– Não. Mas você me falou tanto sobre ela!

Béchoux olhou para os dois e permaneceu pensativo. O que isso significava? Raul teria entrado em contato com a senhorita Montessieux anteriormente, intercedido por ela, e estaria brincando com ele mais uma vez? Mas tudo isso era muito complicado e inconcebível. Faltavam muitos elementos para reconstruir a verdade. Exasperado, ele virou as costas para Raul e saiu com gestos de fúria.

Raul d'Avenac se desculpou imediatamente, fazendo uma vênia.

– Perdoe-me, senhorita, pela minha familiaridade. Mas devo dizer francamente que, para manter minha influência sobre Béchoux, eu sempre o mantenho em suspense com belos truques teatrais, às vezes um pouco infantis, que aos olhos dele são como prodígios que me fazem parecer um feiticeiro e um demônio. Ele fica irritado, vai embora e me deixa em paz. Bem, eu preciso de sangue-frio para desvendar este caso.

Ele teve a impressão de que, o que quer que fizesse ou deixasse de fazer, sempre teria a aprovação dela. Desde o primeiro momento ela era sua cativa, e estava submissa a essa autoridade cheia de doçura.

Ela estendeu a mão.

– Faça o que for preciso, senhor.

Parecia tão cansada que ele recomendou que ela se recolhesse e evitasse, tanto quanto possível, o interrogatório do juiz de instrução.

– Não saia de seu quarto, senhorita. Até que eu desvende alguma coisa, devemos tomar precauções contra qualquer ofensiva imprevista.

– Está com medo, senhor? – disse ela, vacilando.

– De modo algum, mas sempre desconfio do que é obscuro e invisível.

Ele pediu permissão a ela e à senhora Guercin para investigar a mansão de cima a baixo. O senhor Arnold foi encarregado de acompanhá-lo. Raul visitou o porão e o andar térreo, depois subiu para o primeiro andar, onde todas as salas se abriam para um longo corredor. Os quartos eram pequenos e baixos, todos complicados por alcovas, recantos e becos que serviam como vestiários, ainda decorados com a carpintaria do século XVIII, ornados com matelassês, e mobiliados com cadeiras e poltronas que ostentavam tapeçarias desbotadas feitas à mão. Entre os aposentos de Bertrande e Catherine ficava a escadaria.

Essa escadaria levava a um segundo andar, constituído por um vasto sótão cheio de pilhas de utensílios fora de uso, e ladeado à direita e à esquerda por aposentos para os criados, quase todos eles desocupados e sem móveis. Charlotte dormia à direita, acima de Catherine; e o senhor Arnold à esquerda, acima de Bertrande. Todas as janelas, em ambos os andares, tinham vista para o parque.

Sua inspeção concluída, Raul voltou para o lado de fora. Os magistrados continuavam sua investigação, acompanhados por Béchoux. Ao retornar, ele se virou em direção ao muro onde se encontrava a pequena porta que Catherine havia usado para entrar na propriedade pela manhã. Pedaços de arbustos e escombros de uma estufa desmoronada, totalmente tomada pela hera, tinham invadido essa parte do jardim. Ele tinha guardado a chave e conseguiu sair sem que ninguém percebesse.

Lá fora, o caminho continuava ao longo do muro e subia pelas primeiras rampas das colinas. Eram os limites dos domínios de Barre-y-va, onde se passava entre os pomares e a borda de um bosque, para se chegar a um primeiro planalto onde se agrupava um punhado de casas e chalés de colmo, já nos domínios do castelo de Basmes.

O prédio principal, emoldurado por quatro torres, tinha exatamente as mesmas linhas da casa senhorial, que parecia ser apenas uma cópia reduzida dele. Essa era a casa da condessa de Basmes, que havia se oposto ao casamento de seu filho Pedro com Catarina e havia separado os dois noivos. Raul andou um pouco por lá, depois almoçou em uma pousada no vilarejo, onde conversou com alguns camponeses. Os amores frustrados dos jovens eram bem conhecidos no local. Muitas vezes eles tinham sido flagrados juntos na mata próxima, sentados com as mãos entrelaçadas. Fazia vários dias que não eram mais vistos juntos.

"Tudo está claro", pensou Raul. "A condessa, ordenando que seu filho partisse em viagem, proibiu os encontros. Ontem de manhã, o jovem escreveu a Catherine anunciando sua partida. Catherine, perturbada, fugiu de Barre-y-va e correu para o local costumeiro de seus encontros. O conde Pierre de Basmes não estava lá."

Raul d'Avenac desceu até a pequena floresta que havia contornado na subida e penetrou sob a grossa folhagem onde uma passagem tinha sido aberta. Chegou, assim, ao limiar de uma clareira, que era cercada por uma fileira de árvores, e onde se alongava um banco rústico. Não havia dúvida de que esse era o local onde os dois noivos se encontravam. Ele se sentou ali, e após alguns minutos ficou muito surpreso ao perceber, na extremidade de um riacho que corria entre as árvores, algo em movimento, a dez ou quinze metros de distância. Eram folhas mortas, acumuladas no mesmo lugar, e que foram levantadas por um movimento incomum.

Então, correu para lá. O redemoinho cresceu, e ele ouviu um gemido. Ao chegar ao local, viu a cabeça de uma estranha mulher velha, coroada de cabelos desgrenhados, entrançada com galhos e musgo. Ao mesmo tempo, um corpo fino, vestido com trapos, emergia do leito de folhas que o cobriam como uma mortalha.

Seu rosto estava pálido, angustiado de medo, e os olhos estavam abatidos. Ela caiu para trás sem forças, gemendo e segurando a cabeça como se tivesse sido atingida e sofresse dores cruéis.

Raul lhe perguntou quem era. Ela respondia apenas com lamentos incoerentes e, sem saber o que fazer, voltou à aldeia de Basmes e pediu ajuda ao dono da estalagem, que lhe contou:

– Deve ser a dona Vauchel, uma velha errante, que não tem estado no seu perfeito juízo desde que o filho morreu. Ele era um lenhador, o filho, e um carvalho que ele estava derrubando o esmagou. Ela trabalhou por muito tempo na mansão, onde costumava limpar os jardins no tempo do senhor Montessieux.

O estalajadeiro de fato reconheceu que era a dona Vauchel. Raul e ele a levaram para a cabana miserável onde ela vivia, a alguma distância da floresta, e a colocaram em um colchão. Ela continuou gaguejando e Raul finalmente pescou algumas palavras, que eram ditas com mais frequência:

– Três salgos, eu te digo, minha linda menina... três salgos... e é esse cavalheiro, ouça o que eu digo... e é você que ele quer... ele vai te matar, minha linda menina... tenha cuidado...

– Ela está delirando – riu o estalajadeiro, enquanto se afastava. – Até logo, dona Vauchel, tente dormir um pouco.

Ela chorava suavemente, com a cabeça ainda pressionada entre as mãos trêmulas, o rosto sofrido. Ao inclinar-se sobre ela, Raul viu um pouco de sangue coagulado entre suas mechas cinzentas. Ele a limpou com um lenço mergulhado em um jarro e, quando ela adormeceu pacificamente, ele voltou para a clareira. Bastou que se curvasse para encontrar, perto do monte de folhas, uma raiz grande e recém-cortada, que servia como uma marreta.

"Aqui estamos nós", disse a si mesmo. "A dona Vauchel foi atingida, depois arrastada até este ponto, enterrada sob as folhas e deixada para morrer. Quem fez isso e por quê? Devemos supor que é o mesmo indivíduo que está conduzindo a trama?"

Mas a maior preocupação de Raul estava nas palavras que a dona Vauchel havia dito.

"*Minha linda menina.*" Isso não diria respeito a Catherine Montessieux, Catherine, que a louca tinha encontrado vinte e quatro horas antes, quando a jovem vagava nesse bosque em busca de seu noivo, Catherine que tinha se assustado com a terrível previsão: "*Ele te matará, minha linda menina... ele te matará...*", e que tinha fugido para Paris para pedir ajuda a ele, Raul d'Avenac?

Vistos por esse lado, os fatos pareciam bem estabelecidos. Quanto ao resto das elucidações, quanto àquela palavra incompreensível dos três "salgos", repetida pela velha, Raul não quis se preocupar no momento. Como era de seu costume, concluiu que este era um daqueles enigmas que se resolvem quando chega a hora.

Ele não voltou até o anoitecer. Os magistrados e os médicos já tinham partido havia muito tempo. Um policial permanecia em serviço perto do portão.

– Um guarda não é o suficiente – disse ele a Béchoux.

– Por quê? – disse Béchoux com vigor. – Então há alguma novidade? Você está preocupado?

– E você, Béchoux, tem alguma? – disse Raul.

– Por que eu teria? Trata-se de descobrir algo que aconteceu, não de impedir algo que possa acontecer.

– Que papelão você está fazendo, meu pobre Béchoux.

– Como assim?

– Bem, existe uma séria ameaça contra Catherine Montessieux.

– Bom, isso é só um palpite que você tem.

– Como quiser, excelente Béchoux, faça como quiser. Vá jantar, fumar seu cachimbo e tirar sua soneca no Palácio Béchoux. Quanto a mim, não vou arredar pé daqui.

– Você quer que a gente durma aqui? – gritou o brigadeiro, encolhendo os ombros.

– Sim, nesta sala de estar, nestas duas confortáveis poltronas. Se você tiver frio, farei um cobertor para você. Se você ficar com fome, eu darei a você uma fatia de geleia. Se você roncar, eu farei você conhecer o meu pé. Se você...

– Chega! – disse Béchoux, rindo. – Dormirei com um olho aberto.

– E eu com outro. Isso basta.

O jantar foi servido. Eles fumaram e conversaram amigavelmente, relembrando suas memórias comuns e contando histórias um para o outro. Por duas vezes eles fizeram ronda ao redor da mansão, aventuraram-se até a torre do pombal e acordaram o policial que estava cochilando em uma das guaritas do portão.

À meia-noite, os dois se instalaram.

– Que olho você vai fechar, Béchoux?

– O direito.

– E eu o esquerdo. Mas eu deixo abertas as duas orelhas.

Um grande silêncio tomou conta da sala e do redor da casa. Por duas vezes Béchoux, que mal acreditava no perigo, adormeceu tão pesadamente que roncou e levou um chute nas panturrilhas. Mas ele mesmo, Raul, se permitiu abandonar por uma hora ao sono mais profundo, quando de repente deu um salto. Ouviu-se um grito, vindo de algum lugar.

– Não é nada – balbuciou Béchoux. – É uma coruja.

De repente, ouviram outro grito. Raul correu em direção à escadaria, exclamando:

– Lá em cima, no quarto da menina! Oh, caramba, se acontecer alguma coisa com ela!

– Vou sair – disse Béchoux. – Vamos apanhar o sujeito quando ele saltar pela janela.

– E se a matarem nesse meio-tempo?

Béchoux voltou para dentro. Nos últimos degraus, Raul disparou um tiro para deter o ataque e dar o alarme aos criados. Ele arrombou a porta com seus punhos, e uma cortina cedeu. Béchoux, por baixo de seu braço, forçou a maçaneta. Eles entraram.

O quarto estava pouco iluminado pela luz noturna, e a janela estava aberta. Não havia ninguém lá, ninguém além de Catherine, que estava deitada em sua cama, gemendo com dificuldade, como se estivesse asfixiada.

– Vai, Béchoux! – ordenou Raul – Para o jardim! Eu cuido dela.

Naquele momento Bertrande Guercin também chegou para acudir e, curvando-se sobre a garota, logo sentiram que não havia nada grave a temer. Ela estava respirando.

Ainda ofegante, ela sussurrou:

– Ele ia me sufocar... ele não teve tempo.

– Ele estava estrangulando você? – repetiu Raul, consternado. – Ah, o bandido! E de onde ele veio?

– Eu não sei… a janela… acho que…

– Estava fechada?

– Não… nunca…

– Quem era?

– Eu vi apenas uma sombra.

Ela não disse mais nada. O medo e a dor a deixaram completamente exausta. Desmaiou.

OS TRÊS "SALGOS"

Enquanto Bertrande cuidava de sua irmã, Raul correu para a janela e encontrou Béchoux pendurado no parapeito, agarrado às grades da sacada.

– O que está fazendo? Pule, seu idiota! – disse ele.

– Para quê? A noite está escura como graxa. O que eu posso fazer lá embaixo?

– E aqui em cima?

– Daqui talvez dê para ver alguma coisa…

Ele puxou sua lanterna de bolso e apontou-a para o jardim. Raul fez o mesmo. As duas lanternas eram potentes e raios de luz bem vivos caíram sobre os caminhos e os canteiros de flores.

– Olhe ali – disse Raul –, uma silhueta…

– Sim, ao lado da estufa em ruínas…

Uma sombra pulava em saltos desordenados, que pareciam um pouco como os de uma besta louca, certamente com o objetivo de impedir qualquer identificação do personagem.

– Não o perca – ordenou Raul. – Vou correr até lá embaixo.

Mas antes que ele pisasse na varanda ouviu-se o estampido de um tiro, vindo de cima, sem dúvida dado pelo criado Arnold. Ouviu-se um grito lá fora no jardim. A figura girou, caiu, levantou-se, caiu novamente e ficou inerte.

Então Raul se jogou no vazio, com exclamações de triunfo.

– Conseguimos! Bravo, Arnold! Béchoux, não tire a luz de cima desta besta selvagem. Ilumine-a para mim.

Infelizmente, o calor do momento não permitiu que Béchoux obedecesse. Ele também pulou, e quando reacenderam as lanternas e chegaram perto da estufa, ao local exato onde jazia a fera selvagem, como Raul a chamou, encontraram apenas o gramado amassado, pisoteado, mas sem cadáver.

– Imbecil! Cretino! – gritava Raul. – A culpa é sua! Ele aproveitou os poucos segundos de escuridão que você lhe deu.

– Mas ele estava morto! – gemeu Béchoux, lamentando.

– Morto como você e eu. Foi tudo uma farsa.

– Não importa, vamos seguir seu rastro na grama.

Com a ajuda do policial que se juntou a eles, os três passaram quatro ou cinco minutos dobrados sobre o gramado. Mas a pista, a poucos metros de distância, terminou em um pequeno caminho de cascalho, onde se perdeu. Raul não persistiu e voltou para o casarão. Arnold descia as escadas com um rifle.

Foi o tiro da pistola de Raul que o havia despertado. Arnold abriu sua janela e, inclinado para fora, viu vagamente a sombra de um homem que se jogava para fora do quarto da senhorita Montessieux. Ele ficou então à espera, e assim que as lanternas iluminaram o fugitivo, carregou a arma.

– Que pena – disse ele – que vocês tenham apagado as luzes. Caso contrário, ele estaria lá. Mas é apenas uma questão de tempo. Ele levou chumbo na asa, e vai morrer como uma besta fedorenta, debaixo de algum arbusto onde vamos encontrá-lo.

Nada foi encontrado. Quando Raul teve certeza de que Catherine, vigiada por sua irmã Bertrande e por Charlotte, estava dormindo em paz, ele mesmo foi descansar um pouco, assim como Béchoux. E quando, ao amanhecer, saiu para investigar, não demorou a reconhecer que a busca não daria mais resultados do que antes.

– Droga! – disse Béchoux, ao final. – O bandido que matou o senhor Guercin e tentou matar Catherine Montessieux deve ter arranjado algum refúgio impenetrável dentro das paredes da propriedade, onde ele zomba de nós. Na primeira oportunidade, e assim que tiver se recuperado de suas feridas, se estiver ferido, ele vai voltar.

– E desta vez, se não formos mais astutos do que ontem à noite, ele conseguirá matar Catherine Montessieux – disse Raul d'Avenac, que não havia esquecido as palavras de dona Vauchel. – Béchoux, Béchoux, vamos cuidar dessa menina como uma coisa sagrada!

No dia seguinte, após a cerimônia fúnebre que ocorreu na igreja de Radicâtel, Bertrande acompanhou o corpo do senhor Guercin até Paris, onde foi enterrado. Durante sua ausência, Catherine, tomada pela febre e muito deprimida, não saiu de sua cama. Charlotte dormiu ao seu lado. Raul e Béchoux haviam se instalado em dois quartos adjacentes ao dela. Ambos se revezavam, de plantão.

Enquanto isso, as investigações continuavam, mas limitadas ao assassinato do senhor Guercin, tendo Raul se assegurado de que nem o Ministério Público nem a polícia estavam cientes do atentado contra a senhorita Montessieux. Acreditava-se simplesmente na ocorrência de um alarme noturno e de um tiro disparado, devido à visão mais ou menos confusa de uma silhueta. Catherine permaneceu fora da investigação. Como estava doente, passou apenas por um interrogatório de praxe e respondeu que não sabia nada sobre os acontecimentos.

Béchoux, por sua vez, estava implacável. Como Raul parecia não estar interessado no caso, pelo menos no que diz respeito à investigação, ele havia mandado buscar dois de seus camaradas de Paris, que também estavam de licença, e os três puseram mãos à obra, como Raul dizia, utilizando todos os procedimentos do detetive perfeito. O parque foi dividido em setores com estacas, e cada um deles em subsetores. Os três camaradas passavam de setor para subsetor, um após o outro, e depois todos juntos, investigando cada torrão de terra, cada pedra e lâmina de grama. Tudo isso foi em vão. Não encontraram nenhuma caverna, nenhum túnel, nenhum buraco suspeito.

– Nem uma toca de rato – brincou Raul, que se divertia muito. – Mas você já pensou nas árvores, Béchoux? Quem sabe? Talvez algum antropoide assassino esteja escondido por lá?

– Francamente – protestou Béchoux, indignado –, você não se importa com nada?

– Nada... exceto a gentil e encantadora Catherine, com quem me preocupo demais.

– Eu não a trouxe de Paris pelos belos olhos de Catherine, muito menos para pescar no rio. Pois é nisso que você está perdendo seu tempo, olhando para uma rolha flutuante. Você imagina que a resposta para o enigma está aí?

– Certamente – zombou Raul – está pendurada aqui na minha linha. Veja, vamos pescá-la neste pequeno turbilhão... e mais adiante, aos pés daquela árvore que está afundando suas raízes. Que cego que você é!

O rosto de Théodore Béchoux se iluminou.

– Você sabe de alguma coisa? Nosso homem está escondido no fundo da água?

– Bingo! Ele fez a sua cama no rio. Ele se alimenta dele. Bebe dele. E ele não está nem aí com você, Théodore.

Béchoux levantou os braços para o céu, e Raul o viu logo em seguida rondando a cozinha e deslizando para o lado de Charlotte, a quem ele devotava seus planos de morar no campo.

Uma semana depois, Catherine encontrava-se muito melhor e, deitada em sua espreguiçadeira, pôde receber Raul. A partir de então, ele vinha todas as tardes. Ele a distraía com seu bom humor e seu entusiasmo.

– Você não está mais com medo, está? Ora, vamos... – exclamava ele em tom cômico e ao mesmo tempo sério. – O que aconteceu com você é bastante natural. Não há um dia que passe sem que ocorra um atentado como o que você sofreu. É muito comum. O essencial é que isso não aconteça novamente. Além disso, eu estou aqui. Eu sei do que nosso adversário ou adversários são capazes e respondo por tudo.

A garota permaneceu na defensiva por um longo tempo. Ela sorria, tranquilizada, apesar de tudo, pelas piadas e pelo ar despreocupado de Raul; mas não respondia quando ele a questionava sobre certos fatos. Foi somente a longo prazo, e com grande habilidade e paciência, que ele obteve, por assim dizer, um voto de confiança. Um dia, sentindo-a mais expansiva, ele exclamou:

– Vamos, diga, Catherine – eles passaram naturalmente a se chamar pelo próprio nome –, diga o você pretendia quando veio me pedir ajuda em Paris. Lembro-me exatamente das palavras de seu apelo: *"Sei que há coisas ao meu redor que não consigo entender, e outras que virão, e que me assustam"*. Bem, algumas daquelas coisas que a assustavam antes, sem que você as pudesse entender, já aconteceram. Se você quiser evitar mais ameaças, então fale.

Ela ainda hesitava; ele pegou a mão dela, e seu olhar pousou tão ternamente sobre a garota que ela corou. Para esconder seu constrangimento, Catherine falou imediatamente.

– Eu concordo com você – disse. – Mas desde a minha solitária infância eu guardo alguns hábitos, não de segredo, mas de reserva e silêncio. Eu era muito alegre, mas dentro de mim e para mim mesma. Quando perdi meu avô, fiquei ainda mais retraída. Eu amava muito minha irmã, mas ela havia se casado e vivia viajando. Seu retorno me fez bem, e foi uma grande alegria voltar a morar aqui com ela. Entretanto nunca houve, e não há entre nós, apesar de nosso afeto, aquela intimidade perfeita com a qual podemos relaxar e sentir a felicidade de estarmos juntas. A culpa é minha. Você sabe que estou comprometida, que amo Pierre de Basmes com todo o meu coração, e que ele me ama profundamente. No entanto, entre mim e ele, ainda existe uma barreira. E isso ainda é uma consequência de minha natureza, que não se rende a si mesma e que desconfia de qualquer impulso vivo e espontâneo demais.

Depois de uma pausa, ela continuou:

– Esse excesso de reserva, que é aceitável quando se trata de sentimentos e segredos femininos, torna-se absurdo quando se trata dos fatos da vida cotidiana, e especialmente de fatos excepcionais e anormais. No entanto, foi isso que aconteceu desde que cheguei a Barre-y-va. Eu deveria ter contado a verdade sobre alguns acontecimentos estranhos que me atingiram. Em vez disso, fiquei calada e fui chamada de lunática e desequilibrada, porque tinha medos que se baseavam em realidades que eu guardei para mim mesma. E assim fiquei, inquieta, nervosa, quase selvagem, incapaz de suportar as tristezas e os terrores cujo peso eu não queria compartilhar com aqueles ao meu redor.

Ela permaneceu em silêncio por um longo tempo. Ele apressou as coisas.

– E vejo que você ainda está indecisa – disse ele.

– Não.

– Então você quer me contar o que não estava contando a ninguém?

– Sim.

– Por quê?

– Eu não sei.

Catherine disse isso de forma grave e repetiu:

– Eu não sei. Mas eu não posso fazer o contrário. Sou obrigada a obedecer e, ao mesmo tempo, compreendo que estou certa em fazê-lo. Talvez minha história pareça um pouco infantil no início, e meus medos sejam bastante infantis. Mas você vai entender, tenho certeza, você vai entender.

E imediatamente, sem mais resistência, ela começou:

– Chegamos a Barre-y-va, minha irmã e eu, na noite do dia 25 de abril passado. A casa estava fria e abandonada desde a morte de meu avô, ou seja, havia mais de dezoito meses. Passamos a noite o melhor que pudemos. Mas na manhã seguinte, quando abri minha janela, experimentei a maior alegria da minha vida ao ver o jardim da minha infância. Por mais danificado que estivesse, com a grama alta, os caminhos cheios de ervas daninhas, os gramados cheios de galhos podres, era o querido jardim onde eu tinha sido muito feliz. Todas as coisas boas que tinha no meu passado ainda estavam vivas, e do jeito que eu me lembrava, neste espaço amuralhado onde ninguém, absolutamente ninguém, jamais havia entrado. Eu só conseguia pensar em buscar essas memórias e ressuscitar o que pensava ter sido destruído. Malvestida, com os pés descalços nos velhos tamancos de outrora, e tremendo de emoção, fui cumprimentar minhas velhas amigas, as árvores, e meu grande amigo, o rio, com as velhas pedras e os escombros das estátuas que meu avô gostava de talhar. Todo o meu pequeno mundo estava lá. Era como se eles estivessem me esperando e me acolhessem com o mesmo prazer que sentia enquanto caminhava para encontrá-los. Mas havia um local que, em minha memória, guardava um lugar sagrado. Não havia um dia em Paris em que eu não o evocasse, pois representava para mim todos os meus sonhos de criança solitária e romântica. Em todos os outros lugares eu brincava e me divertia, sob o domínio de meus instintos turbulentos. Mas ali eu não fazia nada. Eu pensava. Chorava sem razão. Observava, sem ver, a agitação das formigas e o voo das moscas. Eu respirava pelo prazer de respirar. Se a felicidade pode ser negativa, e se puder ser expressa pela ventura entorpecida e pela total ausência de pensamento, eu era feliz ali, entre aqueles três salgueiros isolados, deitada em seus ramos ou balançando em uma rede que eu tinha pendurado entre uma árvore e outra. Fui até eles como se vai em uma peregrinação, ardentemente e lentamente, com a alma recolhida e um pouco de febre nas têmporas. Fiz meu caminho através das silvas e urtigas que bloqueavam a aproximação da velha ponte, a velha ponte carcomida onde eu costumava dançar em desafio e pela qual era proibida de me aventurar. Eu a cruzei. Atravessei a ilha e segui o rio, subindo o caminho que a sucede e leva à região rochosa do jardim. Os arbustos, que tinham crescido desde que tinha partido, escondiam de mim o pequeno monte que eu queria alcançar. Escorreguei na mata grossa. Afastei os galhos. Emergi e, imediatamente, dei uma exclamação de espanto. *Os três salgueiros não estavam mais lá*. Eles não estavam lá, mas eis que, olhando à minha volta com olhos assustados, e em verdadeiro desespero, como se meus entes mais queridos tivessem faltado a um compromisso, eis que a cem metros de distância, do outro lado das rochas, e depois de uma curva no rio, de repente eu as vi, minhas três árvores desaparecidas. As mesmas, garanto-lhe, as mesmas, dispostas em fileira como antigamente, e voltadas na direção do casarão, de onde tantas vezes eu as havia olhado.

Catherine fez uma pausa e olhou para Raul, não sem alguma preocupação. Na verdade, ele não estava sorrindo. Não, ele não parecia estar rindo, e era como se a importância dramática que ela estava dando à sua descoberta parecesse bastante legítima.

– Você tem certeza de que ninguém entrou na propriedade Barre-y-va desde que seu avô morreu?

– Podem ter pulado o muro. Mas tínhamos todas as chaves em Paris, e quando voltamos aqui nenhuma fechadura estava quebrada.

– Então a única explicação que necessariamente me vem à mente é que você estava enganada, e que as três árvores sempre estiveram onde você as encontrou.

Catherine vacilou e protestou com vivacidade excessiva.

– Não diga isso! Não, não faça essa suposição! Eu não estava enganada! Eu não poderia estar errada!

Ela o levou para fora, e juntos eles percorreram o caminho que ela havia indicado. Eles subiram o curso do rio, que corria diretamente pelo canto esquerdo do casarão, e seguiram a suave encosta que levava ao pequeno morro através da pastagem, onde a jovem havia limpado todas as ervas daninhas. O morro não apresentava vestígios de árvores arrancadas ou movimentadas.

– Veja bem a vista que temos, a mesma vista que eu tinha daqui, do parque. Você pode ver o conjunto, a casa senhorial e a torre da igreja. E então você pode fazer uma comparação.

O caminho tornava-se íngreme e passava por cima das rochas, no meio das quais os abetos haviam criado raízes, e suas pontas se amontoavam sobre o granito. Havia uma curva acentuada no rio, que fluía por um desfiladeiro, e uma espécie de túmulo que ficava em frente, sob um grosso manto de hera, e que era chamado de Butte-aux-Romains.

Em seguida, eles voltaram para o banco no início do desfiladeiro. Catherine apontou para os três salgueiros. O da direita e o da esquerda ficavam a mesma distância da árvore central.

– Aqui estão os três. Será que eu estava realmente errada? Aqui, estamos aqui embaixo. Quase nenhuma vista. O olhar se choca contra as rochas ou contra o Butte-aux-Romains. Mal se vislumbra uma luz em direção ao morro. Você ousa dizer que minha memória teria retido uma lembrança absolutamente clara de outro local, quando as três árvores estavam aqui? E que elas não estavam em um lugar que eu conhecia bem quando vinha nadar?

– Por quê? – perguntou Raul, sem lhe responder diretamente. – Por que você está me fazendo essa pergunta? Tenho a impressão de que você está fazendo isso com uma certa ansiedade.

– Não, claro que não – disse ela com veemência.

– Sim, eu sei. Eu posso sentir. E você perguntou por aí? Você interrogou outras pessoas?

– Sim, como quem não quer nada, porque eu não queria demonstrar minha preocupação. Minha irmã, primeiro. Mas ela não se lembrava muito bem, pois havia partido de Barre-y-va bem antes de mim. No entanto...

– No entanto?

– Ela disse que se lembrava das árvores exatamente onde elas estão hoje.

– E Arnold?

– Arnold me deu uma resposta diferente. Ele não afirmou nada, embora o local atual não lhe parecesse ser o verdadeiro.

– E você não conseguiu qualquer outro testemunho?

– Sim – disse ela após um momento de hesitação –, uma velha mulher que tinha trabalhado no jardim quando eu era criança.

– A dona Vauchel? – disse Raul.

Catherine exclamou, subitamente agitada:

– Então você a conhece?

– Eu a conheci. E agora percebo o que significavam os "três salgos" de que ela estava falando. Foi a maneira como ela disse.

– Sim – disse Catherine, ficando cada vez mais emocionada. – Eram os três salgueiros. E foi em parte por causa deles que a infeliz mulher, que já não tinha a mente muito sã, enlouqueceu de vez.

A DONA VAUCHEL

Raul a viu em uma tal inquietação que decidiu levá-la de volta ao casarão. Era a primeira saída da moça, e ela não deveria abusar de suas forças.

Durante dois dias, ele usou sua influência sobre ela para acalmá-la e mostrar-lhe a aventura de uma forma menos trágica. Ela se acalmava sob os cuidados de Raul. Sentia-se à vontade, relaxada e sem forças contra essa atitude benéfica e afetuosa. Mais tarde ele insistiu para que ela retomasse sua história, o que ela começou a fazer com mais tranquilidade.

– Claro que, a princípio, tudo isso não deveria ter parecido tão sério para mim. Mas, mesmo assim, como eu não podia admitir que havia algum erro de minha parte, já que nem minha irmã nem Arnold me desmentiriam, o que dizer deste deslocamento? Como foi feito, e com qual finalidade? Mas não demorou muito para que o incidente se revelasse sob uma luz diferente e mais angustiante. Enquanto vasculhava o casarão, tanto por curiosidade quanto para reviver tantas lembranças bonitas, descobri em um canto do sótão, onde meu avô tinha montado um pequeno laboratório, com mesa, fogão a gás, retortas, etc., uma caixa de desenho e esboços, e entre as folhas dispersas desta caixa estava uma planta topográfica do jardim. Eu me lembrei de repente, tinha trabalhado neste plano quatro ou cinco anos antes. Vovô e eu tínhamos feito medições junto, e tínhamos anotado as medidas. Eu estava orgulhosa da tarefa que me havia sido dada, segurando uma ponta da trena ou a mira do tripé, ou qualquer um dos instrumentos necessários. O resultado de nosso trabalho conjunto foi este plano, que eu havia visto meu avô desenhar, que ele tinha assinado com a própria mão. Eu me diverti muito com o desenho do rio azul e o ponto vermelho no pombal. Aqui está.

Ela desenrolou a folha de papel sobre uma mesa e a prendeu com quatro pinos. Raul se inclinou.

A longa serpente azul do rio passava sob a esplanada da entrada; ele se endireitava, quase tocando o canto do casarão, explodia na ilha, e depois virava-se abruptamente entre as rochas e o Butte-aux-Romains. Os gramados foram delineados, assim como a casa senhorial e o pavilhão de caça. O muro de contrafortes limitava a propriedade. Um ponto vermelho marcava o pombal. As cruzes marcavam a localização de certas árvores, indicadas por seus nomes: o Carvalho de tonel... a Faia Vermelha... o Olmo Real.

O dedo de Catherine havia pousado no extremo do parque, à esquerda, perto da serpente azul. Ela apontou para uma cruz tripla com esta inscrição em tinta, com a própria caligrafia: *os três salgueiros*.

– Os três salgueiros – disse ela calmamente. – Sim, ali, depois das rochas e depois do Butte-aux-Romains..., ou seja, onde eles estão hoje...

E, novamente nervosa, ela continuou com a mesma entonação abafada e em espasmos:

– E então, eu tinha enlouquecido? Aquelas árvores que eu sempre soube que estavam no monte, que eu tinha visto lá dois anos antes, não estavam mais lá naquela época, já que o plano elaborado pelo vovô e por mim tinha mais de cinco anos? Era possível que meu cérebro estivesse sob o controle de tais aberrações? Eu lutei contra a evidência dos fatos. Teria preferido acreditar no transporte das árvores por razões que eu não conhecia. Mas o plano contradizia o testemunho de meus olhos e a convicção de minha memória, e, forçada a admitir meu erro, vacilei, angustiada. Toda a minha vida me pareceu uma alucinação, e todo o meu passado um pesadelo do qual eu só conhecia falsas visões e falsas realidades.

Raul ouvia a garota com interesse crescente. Na escuridão em que ela lutava, ele mesmo, apesar de alguns vislumbres de luz que lhe davam a certeza de alcançar o objetivo, via apenas confusão e incoerência.

Ele disse a ela:

– E você não falou nada disso à sua irmã?

– Nem à minha irmã ou a qualquer outra pessoa.

– A Béchoux, talvez?

– Tampouco. Nunca entendi a razão da presença dele em Radicâtel, e só prestava atenção nele quando nos contava sobre as aventuras de vocês dois. Além disso, eu estava ficando sombria, preocupada, e as pessoas estavam assustadas com meu humor quase selvagem e meu desequilíbrio.

– Mas você não estava noiva?

Ela corou.

– Sim, eu estava, eu estou noiva, o que ainda é uma causa de tormento para mim, já que a condessa de Basmes não quer que eu me case com o filho dela.

– Você o ama?

– Eu achava que o amava – disse Catherine em voz baixa. – Mas também não confiava nele. Não confiava em ninguém, e tentava, sozinha, dissipar esta atmosfera pesada que me oprimia. E por isso eu fui falar com aquela velha camponesa que costumava limpar o jardim. Eu sabia que ela vivia na pequena floresta de Morillot, que fica acima do parque.

– Uma pequena floresta para onde você costumava ir, não era?

Ela corou de novo.

– Sim. Como Pierre de Basmes não podia vir a Barre-y-va tanto quanto ele gostaria, eu o encontrava na floresta de Morillot. Um dia, depois de nos despedirmos, fui para a casa da dona Vauchel. Nessa época, o filho dela vivia e trabalhava como lenhador nos bosques de Tancarville. Ela ainda não estava louca, mas sua cabeça já não era muito boa. Entretanto, eu nem precisei me apresentar ou lembrá-la de meu nome. Logo de cara ela sussurrou: "Senhorita Catherine… a sinhazinha do Casarão…". Ela manteve um silêncio bastante longo, esforçando-se para pensar, e então, levantando-se da cadeira onde estava descascando feijões, ela se inclinou sobre mim e, bem baixo, disse: "Os três salgos… os três salgos… deve ter cuidado, minha linda menina…". Fiquei confusa. De imediato, ela havia falado daqueles três salgueiros sobre os quais havia tanto enigma para mim, e seus pensamentos, geralmente hesitantes, eram tão claros sobre o assunto que ela acrescentou: "Você deve ter cuidado". O que significavam essas palavras, a não ser que, em sua mente, a visão das três árvores estava associada à ideia de um perigo para mim? Eu a pressionei com perguntas. Ela queria responder. Ela tentou. Mas as frases dela saíam de uma forma inacabada e confusa. A duras penas eu pude compreender que ela estava dizendo o nome de seu filho. "Dominic… Dominic…" Eu lhe disse imediatamente: "Sim… Dominic… seu filho… ele sabe algo sobre essas três árvores, não sabe? Eu preciso vê-lo… é isso que a senhora quer dizer? Quero vê-lo amanhã… Venho aqui amanhã… no final do dia, quando ele voltar do trabalho. A senhora vai avisá-lo, não vai? E dizer-lhe para esperar por mim amanhã… Amanhã, às sete horas da noite, como hoje. Amanhã…". Repeti várias vezes essa palavra, cujo significado ela parecia compreender, e a deixei com alguma esperança. Nessa hora já estava quase escuro, mas creio ter visto a figura de um homem nas sombras, atrás da cabana. Foi um grande erro não verificar esta impressão fugaz. Mas lembre-se do pouco controle que eu tinha então, e como estava sempre pronta para me assustar sem nenhuma razão muito definida. Confesso que estava assustada, e que me apressei pelo caminho. No dia seguinte, subi bem antes da hora marcada, a fim de sair mais cedo, em plena luz do dia. Dominique ainda não havia chegado do trabalho. Esperei muito tempo perto da dona Vauchel, que permanecia taciturna e parecia ansiosa. Então um camponês apareceu. Ele anunciou que trazia dois camaradas, e que carregavam o lenhador Dominic. Ele fora encontrado ferido, debaixo de um carvalho que estava derrubando. Pelo constrangimento do mensageiro, compreendi o drama. De fato, era um cadáver que estavam deixando em frente à casa da dona Vauchel. A pobre mulher ficou louca.

O desânimo de Catherine aumentou, como se as circunstâncias do passado revivessem diante de seus olhos. Raul, que sentiu que qualquer tentativa para consolá-la seria em vão, insistiu que ela terminasse.

– Sim, sim, – ela continuou –, é melhor assim, mas você pode compreender como eu achei a morte suspeita. No mesmo instante em que Dominic Vauchel ia me dar, sem dúvida, a resposta para o enigma, ele aparece morto. Eu não deveria suspeitar que ele tinha sido morto, e assassinado, precisamente para evitar qualquer conversa entre mim e ele? Desse assassinato, eu posso não ter provas materiais. Entretanto, o médico de Lillebonne, ao declarar que a morte havia sido acidental, e produzida pela queda de uma árvore, ficou espantado, à minha frente, com certas anomalias perturbadoras, como a descoberta de uma ferida na cabeça. Ele não deu maior atenção a isso e assinou seu relatório. Mas eu fui ao local do acidente e encontrei uma tora de madeira.

– A quem acusar? – interrompeu Raul. – Mas, evidentemente, o indivíduo que você vislumbrou atrás da cabana da dona Vauchel sabia que, no dia seguinte, você seria informada sobre o mistério dos três salgueiros.

– Foi o que eu presumi – disse Catherine –, e essa suposição era reforçada cada vez mais em mim pela pobre mãe da vítima, sem que ela soubesse. Toda vez que eu subia para encontrar o meu noivo, tinha certeza de que ia encontrá-la. Ela não estava me procurando, mas um acaso teimoso sempre a colocava no meu caminho. Então ela parava por alguns segundos, revolvia sua memória em ruínas e recitava, balançando a cabeça: "Os três salgos... é preciso ter cuidado, minha linda menina, os três salgos". Desde então, vivi em grande aflição, às vezes me achando louca e às vezes convencida de que havia uma ameaça terrível contra mim e contra aqueles que viviam na propriedade Barre-y-va. Eu não falei com ninguém sobre isso. Mas como poderiam não ter notado meus terrores, e o que chamavam de meus caprichos? Minha pobre irmã, cada vez mais preocupada e incapaz de explicar meu estado de enfermidade, implorou-me que deixasse Radicâtel. Ela até preparou por várias vezes nossa partida. Eu não queria. Eu não estava comprometida? E, embora meu humor tivesse mudado um pouco a natureza de minhas relações com Pierre de Basmes, eu não o amava menos. Precisava somente, eu confesso, de um guia, de um conselheiro. Estava cansada de lutar sozinha. Pierre de Basmes? Béchoux? Minha irmã? Eu já lhe disse que, por razões pueris, não podia confiar neles. Foi nesse momento que pensei em você. Eu sabia que Béchoux tinha a chave de seu apartamento, e que ele a havia colocado embaixo do relógio dele. Um dia, em sua ausência, fui pegá-la.

– Bem – exclamou Raul –, mas bastava ter-me procurado, ou simplesmente escrever para mim.

– A chegada do senhor Guercin atrasou meus planos a seu respeito. Sempre tive boas relações com o marido de minha irmã. Ele era um homem bom e prestativo, que demonstrava carinho por mim, e com quem eu poderia desabafar. Infelizmente, você sabe o que aconteceu. No dia seguinte, tendo recebido uma carta de Pierre de Basmes anunciando a implacável resolução de sua mãe e a própria partida, saí ao jardim para vê-lo uma última vez. Esperei por ele no local habitual de nossos encontros. Ele não veio. Foi na noite daquele dia que eu entrei em seu apartamento.

– Mas – disse Raul – deve ter havido algum fato mais especial que determinou sua visita.

– Sim – disse ela. – Enquanto esperava por Pierre na floresta, fui abordada pela dona Vauchel. Ela estava ainda mais agitada do que de costume, e sua ladainha estava mais violenta, mais precisa em relação a mim. Ela me pegou pelo braço, me sacudiu e disse, com uma raiva que eu não conhecia, e como se quisesse se vingar de mim pela morte de seu filho: "Três salgos, minha linda menina... É você que ele quer, o cavalheiro... e ele vai te matar... Cuidado, ele vai te matar... ele vai te matar...". Ela fugiu, com terríveis gargalhadas. Eu perdi a cabeça. Vaguei pelo campo e, por volta das cinco horas da tarde, estava em Lillebonne. Um trem estava partindo e eu saltei para dentro.

– Então – perguntou Raul –, quando você pegou o trem, o senhor Guercin estava sendo assassinado, e você não sabia disso?

– Eu não soube de nada até a noite, em sua casa, pelo telefonema de Béchoux, e você se lembra de como eu fiquei abalada.

Raul refletiu um pouco e disse:

– Uma última pergunta, Catherine. Quando você foi atacada à noite em seu quarto, não houve nada que permitisse identificar seu agressor como o mesmo indivíduo que você viu naquele outro dia, atrás da cabana da dona Vauchel?

– Nada. Eu estava dormindo com a janela aberta e não fui alertada por nenhum som. Senti minha garganta presa, lutei, gritei, e o homem fugiu sem que eu visse sequer sua sombra na noite. Mas como não poderia ser a mesma pessoa? O mesmo que matou Dominique Vauchel, e o senhor Guercin, e que queria me matar, de acordo com a previsão da dona Vauchel?

Ela falava com voz alterada. Raul olhava-a gentilmente.

– Você parece que está sorrindo – disse ela, surpresa. – Por quê?

– Para lhe dar confiança. E veja que você está mais calma, tua expressão está mais relaxada, e toda essa história parece menos assustadora só porque eu estou sorrindo.

– É uma história terrível – disse ela, com convicção.

– Não tanto quanto você pensa.

– Dois assassinatos...

– Você tem certeza de que Dominique Vauchel foi assassinado?

– E o porrete? A ferida na cabeça?

– Quer saber mais? Correndo o risco de aumentar seus medos, eu digo a você que o mesmo atentado foi cometido contra a dona Vauchel, e que no dia seguinte à minha chegada eu a encontrei debaixo de algumas folhas, também ferida na cabeça por um porrete. E, no entanto, não tenho certeza de que tenha havido um crime.

– Mas e meu cunhado? – gritou Catherine. – Você realmente não pode negar...

– Eu não nego nada, e não afirmo nada. Mas eu duvido. O que eu sei, Catherine, e você deve ficar feliz com isso, é que você tem toda razão, que suas memórias não a enganam, e que os três salgueiros deveriam estar onde estavam quando você se balançava em seus galhos há alguns anos. Todo o problema gira em torno desses três salgueiros deslocados. Uma vez resolvido, todo o resto se esclarecerá por si só. Por enquanto, amiga Catherine...

– Por enquanto?

– Sorria.

Ela sorriu.

Ela era adorável assim. Ele não pôde deixar de lhe dizer, em um impulso de todo o seu ser:

– Meu Deus, como você é linda!... E tão cheia de ternura! Você não pode acreditar, querida amiga, como estou feliz por poder me dedicar a você, e como um único olhar seu me recompensa...

Ele não terminou. Qualquer palavra mais ousada lhe pareceria uma ofensa.

A investigação feita pela Justiça fazia poucos progressos. Após vários dias de buscas e questionamentos, o juiz não chegava a uma conclusão, e confiava mais no acaso do que nas investigações da polícia e de Béchoux. Após três semanas, Béchoux, que havia dispensado seus dois camaradas, não escondia mais seu desânimo e se voltou contra Raul.

– Para que você serve? O que você está fazendo da vida?

– Eu fumo cigarros – respondeu Raul.

– Qual é o seu objetivo?

– O mesmo que o seu.

– Seu plano?

– Diferente do seu. Você segue penosamente o caminho dos setores, subsetores e outros disparates. Eu sigo o caminho agradável em que você deve se abandonar aos seus pensamentos e, mais ainda, à sua intuição.

– Enquanto isso, o jogo continua.

– Enquanto isso, estou no cerne da questão e estou indo realmente muito bem, Béchoux.

– O quê?

– Você se lembra do conto de Edgar Poe, *O escaravelho de ouro?*

– Sim.

– O herói da aventura sobe em uma árvore, encontra um crânio e ossos cruzados, e deixa cair um escaravelho pelo olho direito do crânio, para usá-lo como prumo.

– Inútil. Eu sei como é. Qual é o seu objetivo?

– Venha comigo até os três salgueiros.

Quando chegaram, Raul subiu na árvore do meio e ficou em cima do tronco.

– Théodore?

– O que é?

– Siga com seus olhos, acima do rio, a trincheira que lhe permite ver, do outro lado das rochas, um pequeno monte... a cerca de cem passos...

– Estou vendo.

– Vá até lá.

Béchoux, obedecendo a essa ordem imperiosa, passou sobre as rochas e desceu até o monte, de onde avistou Raul. Este estava deitado de barriga para baixo ao longo de um dos ramos principais e olhava em várias direções.

– Fique de pé – gritou ele –, o mais alto possível.

Béchoux se levantou como uma estátua.

– Levante o braço – ordenou Raul –, levante o braço e estique o indicador em direção ao céu, como se estivesse apontando para uma estrela. Bom. Não se mova. A experiência é bastante interessante e confirma minhas suposições.

Ele saltou de sua árvore, acendeu um cigarro, e pacificamente, tranquilo como um carrinho de bebê, juntou-se a Béchoux, que não tinha se mexido e ainda estava cutucando uma estrela invisível.

– O que você está fazendo? – perguntou Raul, parecendo atordoado. – É uma pose e tanto!

– Como assim? – resmungou Béchoux. – Estou seguindo fielmente suas instruções.

– Minhas instruções?

– Sim, o desafio do escaravelho de ouro...

– Seu pateta.

Raul se aproximou e disse ao ouvido de Béchoux:

– Ela estava vendo você.

– Quem?

– A cozinheira. Veja. Ela está lá, no quarto dela. Deus, ela deve ter achado você lindo como um Apolo do Belvedere[8]. Que linhas... que curvas...

O rosto de Béchoux expressou tamanha raiva que Raul correu, desatando em gargalhadas. Depois, voltando um pouco, ele disse com expressão de alegria:

– Não se preocupe... Está tudo bem... Você passou no teste do escaravelho de ouro... Estou segurando a ponta da linha...

Teria esse teste, realizado à custa de Béchoux, finalmente mostrado a Raul a ponta dessa linha? Ou será que ele esperava descobrir a verdade por outros meios? De qualquer modo, ele ia frequentemente com Catherine à casa da dona Vauchel. Com gentileza e paciência, ele tinha conseguido domá-la, para que a pobre louca não se assustasse. Ele lhe trazia guloseimas e dinheiro, que ela tomava com um gesto repentino, e fazia suas perguntas, sempre as mesmas, que repetia incansavelmente.

– Os três salgueiros foram removidos, certo?... Quem os moveu? Seu filho sabia, não sabia? Talvez ele tenha feito o trabalho? Responda.

Às vezes os olhos da velha brilhavam. Passavam vislumbres por sua memória. Ela queria falar e dizer o que sabia. Poucas palavras seriam suficientes para esclarecer todo o mistério, e sentiam que logo essas poucas palavras se formariam e chegariam à sua boca. Raul e Catherine tinham uma impressão profunda e ansiosa disso.

[8] O Apolo Belvedere (ou do Belvedere) é uma estátua grega representando Apolo, o deus da beleza na mitologia. A estátua está no Vaticano. (N.T.)

– Ela falará amanhã – afirmou d'Avenac, certo dia. – Pode ter certeza de que ela falará amanhã.

No dia seguinte, quando chegaram à cabana, viram a velha estendida no chão, ao lado de uma escada dupla. Ela estava tentando podar um arbusto. Um dos montantes da escada tinha escorregado, e agora a pobre louca jazia, morta.

O ESCRIVÃO

A morte da dona Vauchel não levantou suspeitas, nem no vilarejo, nem no Ministério Público. Como seu filho, ela havia morrido acidentalmente, no decorrer de um daqueles pequenos afazeres camponeses que sua loucura não a impedia de executar. Todos lamentavam pelos dois. Ela foi enterrada, e não se falou mais sobre isso.

Mas Raul d'Avenac havia constatado que os parafusos da haste de ferro, com a qual os dois montantes eram mantidos separados, haviam sido removidos; e que um montante, mais curto que o outro, havia sido serrado recentemente na base. A catástrofe era inevitável.

Catherine também não se conformou e caiu de novo em seus transes.

– Veja bem – disse ela –, nossos inimigos são implacáveis. Mais uma vez ocorreu um assassinato.

– Não tenho certeza. Um dos elementos do assassinato é a motivação para matar.

– Bem, a motivação é óbvia.

– Não tenho certeza – repetiu ele.

Desta vez ele não se esforçou muito para acalmar a jovem, mas compreendia o medo e a consternação dela diante de tantas ameaças dirigidas contra ela, e também, por alguma razão obscura, contra todos aqueles que viviam no casarão.

Em rápida sucessão, houve dois outros incidentes inexplicáveis. A ponte cedeu sob os pés de Arnold, e o criado caiu no rio; mas felizmente a queda não teve outro efeito senão deixá-lo com um resfriado. No dia seguinte, um velho galpão, que servia de depósito de madeira, desmoronou no momento em que Charlotte saía de lá. Foi por um milagre que os escombros não a soterraram.

Em uma crise séria, durante a qual desmaiou duas vezes, Catherine Montessieux contou a sua irmã e a Béchoux tudo o que sabia. A porta da sala de jantar, onde ocorreu a cena, estava aberta para a cozinha. O senhor Arnold e Charlotte puderam ouvir.

Ela contou tudo: o deslocamento evidente dos três salgueiros, as previsões da dona Vauchel, as circunstâncias da morte dela, o assassinato de seu filho e as provas irrefutáveis que faziam destes dois crimes fatos que não podiam ser questionados.

Só não disse nada sobre sua viagem a Paris e seu primeiro encontro com Raul, por outro lado, em contrapartida, em uma rebeldia inesperada contra a influência que ele exercia sobre ela, Catherine revelou sem desvios suas pesquisas conjuntas, suas conversas e as investigações pessoais e conclusivas que ele havia realizado sobre os dois Vauchels. Tudo isso terminou em lágrimas. Arrasada por ter traído Raul, ela teve um acesso de febre que a prostrou na cama por dois dias.

Bertrande Guercin, por sua vez, ficou impressionada com os terrores de Catherine. Em tudo ela via apenas perigo e agressão. O senhor Arnold e Charlotte compartilhavam do mesmo estado de espírito. Para eles, assim como para Catherine, o inimigo rondava entre as paredes e ao redor da propriedade, entrando ou saindo por saídas desconhecidas. Ele ia e vinha como queria, aparecendo e desaparecendo, atacando em momentos escolhidos por ele, sempre invisível e sempre inacessível, desonesto e ousado, perseguindo um plano obscuro cujo propósito só ele conhecia.

Béchoux estava exultante. Seu fracasso parecia ofuscado pelo de Raul, e ele não pôde deixar de provocar o amigo.

– Estamos perdendo o jeito, meu velho – ele zombava, com grande alegria. – Você e eu. E tem mais. Veja, Raul, quando se está no meio de uma tempestade, não se resiste a ela. Saímos do acampamento... e voltamos quando o perigo tiver passado.

– Então elas vão embora?

– Já teriam ido, se dependesse de mim. Mas...

– Mas Catherine hesita?

– Essa é a questão. Ela está hesitante, porque ainda está sob a tua influência.

– Espero que você a convença.

– Espero que sim, e Deus permita que não seja tarde demais!

Na noite dessa conversa, as duas irmãs trabalhavam no pequeno salão no andar térreo, que servia como seu toucador, e onde elas gostavam de ficar juntas. A duas salas de distância, Raul estava lendo e Béchoux estava distraído, jogando bolinhas de gude sobre uma velha mesa de bilhar. Eles não se falavam. Às dez horas, geralmente, cada um ia para seu quarto. Soaram as dez horas no vilarejo, e depois em um dos relógios da casa senhorial.

Um segundo relógio começava a bater quando soou um estampido bem alto, acompanhado pelo som de vidro quebrando e dois gritos estridentes.

– Aconteceu alguma coisa com elas – proferiu Béchoux, que correu para o toucador.

Raul, pensando apenas em interceptar o homem que havia atirado, correu para a janela do quarto onde estava. As duas persianas estavam fechadas, como em todas as noites. Ele forçou o basculante, mas elas tinham sido fechadas por fora, e por mais que as forçasse não conseguia abri-las. Ele desistiu imediatamente e saiu para a sala ao lado. Mas havia perdido muito tempo e não encontrou nada de suspeito no jardim. Um olhar foi suficiente para notar que duas grandes fechaduras haviam sido colocadas, provavelmente na noite anterior, na parte externa das persianas da sala de bilhar; o que tornou inútil todo o esforço e facilitou a fuga do inimigo.

Raul voltou ao toucador, onde Catherine, Béchoux e os dois criados corriam para acudir Bertrande Guercin, que desta vez tinha sido o alvo do atentado. O projétil, quebrando o vidro, passou assobiando perto de sua orelha, felizmente sem atingi-la, e tinha se achatado contra a parede oposta.

Béchoux, que o recolheu, disse calmamente:

– É uma bala de revólver. Dez centímetros para a direita e ela estaria com um buraco na testa.

E ele acrescentou, em voz severa:

– O que você diz, Raul d'Avenac?

– Eu penso, Théodore Béchoux – respondeu Raul, sem hesitação –, que a senhorita Montessieux não tem mais dúvidas de que deve partir.

– Nenhuma – disse ela.

Foi uma noite de pânico. Com exceção de Raul, que foi para a cama e dormiu em paz, todos ficaram alertas, com os ouvidos tensos, os nervos à flor da pele. O menor rangido fazia todos tremerem.

Os criados fizeram as malas e todos foram de carruagem para Lillebonne, onde pegaram o trem para Le Havre.

Béchoux voltou para seu chalé para vigiar de longe a propriedade de Barre-y-va.

Às nove horas Raul chegou com as duas irmãs a Le Havre e as instalou em uma pensão, cuja dona ele conhecia.

No momento de se despedir, Catherine, completamente arrasada, pediu-lhe perdão.

– Perdão por quê?

– Por duvidar de você.

– Era natural. Para todos os efeitos, eu não tive nenhum resultado com a minha investigação.

– E agora?

– Descanse – disse ele. – Você precisa recuperar suas forças. Dentro de quinze dias, no máximo, virei buscar vocês duas.

– Para onde?

– Para Barre-y-va.

Ela estremeceu. Ele acrescentou:

– Você pode ficar lá por quatro horas, ou quatro semanas, à sua escolha.

– Vou passar o tempo que você quiser – disse Catherine, estendendo sua mão, que ele beijou carinhosamente.

Às dez e meia ele chegou a Lillebonne e perguntou onde ficavam os tabelionatos do distrito. Às onze ele se apresentou no escritório do tabelião Bernard, um homem grande, redondo, cordial, de olhos vivos, que o recebeu de imediato.

– Doutor Bernard – disse-lhe Raul –, fui enviado ao senhor pela senhora Guercin e pela senhorita Montessieux. Creio que já tenha ouvido falar do assassinato do senhor Guercin e das dificuldades enfrentadas pela Justiça. Em conexão com o brigadeiro Béchoux, colaborei na investigação, e a senhorita Montessieux me pediu para vir vê-lo, já que o senhor era tabelião de seu avô, para esclarecer um certo ponto que permanece obscuro. Aqui está a minha carta de apresentação.

Era aquela procuração que ele havia solicitado a Catarina na manhã da chegada deles ao Radicâtel, quando vinham de Paris, na qual se dizia: "Eu dou plenos poderes ao senhor Raul d'Avenac para buscar a verdade e tomar decisões de acordo com meus interesses". Raul só teve que colocar a data.

– Como posso ajudá-lo, senhor? – perguntou o notário, após a leitura do documento.

– Parece-me, doutor Bernard, que o crime cometido, e os vários eventos inexplicáveis que vieram em seguida, e que seriam inúteis de discutir com o senhor, estejam talvez relacionados a uma única causa, que é a herança do senhor Montessieux. É por isso que tomo a liberdade de lhe fazer algumas perguntas.

– Sou todo ouvidos.

– Foi em seu cartório que foi assinada a escritura de compra da propriedade Barre-y-va?

– Sim, no tempo do meu antecessor e no tempo do pai do senhor Montessieux, o que foi há mais de meio século.

– O senhor tinha conhecimento sobre este ato?

– Tive a oportunidade de estudá-lo várias vezes, a pedido do senhor Montessieux e por razões secundárias. A propósito, a situação não apresenta nada de especial.

– O senhor foi tabelião do senhor Montessieux?

– Sim. Ele tinha alguma afeição por mim e estava sempre disposto a me consultar.

– Houve alguma conversa entre o senhor e ele a respeito de disposições testamentárias?

– Houve, e não cometo nenhuma indiscrição em dizê-lo, já que também estavam a par a senhora e o senhor Guercin, bem como a senhorita Catherine.

– Estes arranjos beneficiariam alguma de suas netas?

– Não. Ele não escondeu sua preferência pela senhorita Catherine, que morava com ele e a quem desejava legar a propriedade, onde ela era muito feliz. Mas certamente, por algum meio, ele deve ter restaurado o equilíbrio entre as duas irmãs. Afinal, ele não deixou nenhum testamento.

– Eu sei. E confesso que fiquei estarrecido – disse Raul.

– Eu também. E também o senhor Guercin, que eu vi em Paris na manhã do funeral, e que viria me consultar sobre isso... veja só, no dia seguinte ao dia em que foi assassinado. Ele tinha me escrito antes de sua visita, pobrezinho.

– E como o senhor explica este lapso por parte do senhor Montessieux?

– Creio que ele tenha se esquecido de escrever suas disposições, e a morte o surpreendeu. Ele era um homem bastante estranho, muito preocupado com seu laboratório e seus experimentos de química.

– Ou melhor, de alquimia – corrigiu Raul.

– É verdade – disse o notário Bernard, sorrindo. – Ele alegava ter feito uma grande descoberta. Encontrei-o um dia em extraordinária agitação, e ele me mostrou um envelope cheio de ouro em pó, dizendo com uma voz que tremia de emoção: "Veja, meu querido amigo, é o resultado do meu trabalho. Não é admirável?".

– E era realmente ouro? – perguntou Raul.

– Inquestionavelmente. Ele me deu uma porção, que eu fui curioso o suficiente para mandar examinar. Sem dúvida, era ouro.

A resposta pareceu não surpreender Raul.

– Eu sempre desconfiei – disse ele – que este caso girava em torno de uma descoberta desse tipo.

E ele disse, levantando-se:

– Apenas mais uma coisa, doutor Bernard. Já ocorreu alguma indiscrição em seu cartório, o que chamamos de vazamentos?

– Nunca.

– Seus colaboradores, no entanto, estão sempre cientes de alguns dramas familiares de que o senhor ouve falar. Eles leem as escrituras. Eles copiam os contratos.

– São pessoas honestas – disse Bernard –, que têm o hábito e o instinto de ser discretos sobre tudo o que acontece no cartório.

– Mas suas condições, no entanto, são bastante modestas.

– Assim como suas ambições. Ademais – riu o tabelião –, a sorte às vezes os favorece. Certa vez, um de meus funcionários, um velho trabalhador obstinado, econômico a ponto de ser avarento, que guardava cada centavo para comprar um pedaço de terra e um casebre para a sua aposentadoria, veio me ver uma manhã para me dizer que estava partindo. Ele me disse que tinha ganhado vinte mil francos com um bilhete de loteria.

– Uau! Faz muito tempo?

– Algumas semanas... 8 de maio... Eu me lembro da data, porque naquela mesma tarde o senhor Guercin foi assassinado...

– Vinte mil francos – disse Raul, sem mencionar essa coincidência de datas. – Uma verdadeira fortuna para ele!

– Uma fortuna que ele está em vias de desperdiçar. Parece que ele se instalou em um pequeno hotel em Rouen e está aproveitando a vida.

Raul se divertiu muito com a aventura; certificou-se de saber o nome do personagem e se despediu do doutor Bernard.

Às nove horas da noite, após uma rápida investigação em Rouen, ele encontrou o senhor Fameron, o escrivão, em um hotel mobiliado na Rua das Charrettes. Era um homem magro, alto e sombrio de rosto, vestido com um casaco de veludo preto e usando uma cartola. Ele virou a noite em uma taberna, para a qual Raul o havia convidado, e terminou sua embriaguez em um baile público, onde dançou um cancã selvagem com uma garota enorme e escandalosa.

No dia seguinte a festa recomeçou assim como nos seguintes. O dinheiro do senhor Fameron fluía em aperitivos e taças de champanhe, oferecidos a muita gente que se agarrava a seu caráter generoso. Mas Raul era seu amigo favorito. No final da madrugada, expansivo e cambaleante, ele tomava Raul pelo braço e abria o coração:

– Que sorte, eu lhe digo, meu velho Raul. Vinte mil francos caindo assim no meu colo... Bem, eu jurei para mim mesmo que não sobraria uma gota. Trabalhei a vida toda para ganhar o suficiente e viver sem fazer nada. Mas isso é um bônus que não tenho o direito de manter. Não, não é dinheiro limpo. É preciso sair para banquetear com as pessoas que alegram a nossa vida... como você, meu velho Raul, como você.

Suas confidências não foram além. Quando Raul insinuava interrogá-lo, ele se calava e começava a soluçar.

Mas duas semanas depois, Raul, que estava se divertindo muito com este fantoche fúnebre, aproveitou um banquete mais pesado para extrair dele algumas confissões. Fameron as balbuciou enquanto chorava, afundado em seu quarto, ajoelhando-se diante de sua cartola, para quem parecia estar se confessando.

– Um canalha... sim, eu sou um canalha. A questão do vínculo? Balela! Era um cara que eu conhecia, e que se aproximou de mim à noite em Lillebonne, e que me deu uma carta para acrescentar à pasta do Montessieux. Eu não queria. "Não, isso não", eu disse a ele, "isso fere os meus princípios... Você pode investigar minha vida até o fundo dos mais fundos... e não vai encontrar um único ato sujo como esse." E então... então, não sei como aconteceu... ele me ofereceu dez mil... quinze mil... vinte mil... perdi a cabeça... No dia seguinte, eu deslizei a carta para a pasta Montessieux. Só jurei a mim mesmo que este dinheiro não me corromperia. Vou beber, vou gastar tudo... Mas não vou viver com isso na minha nova casa... Ah! não, não, eu não quero esse dinheiro podre... ouviu, meu senhor?... Eu não quero!

Raul tentou saber mais. Mas o outro, que havia começado a chorar novamente, adormeceu com soluços de desespero.

"Nada mais a fazer", disse Raul para si mesmo. "De que adianta ser teimoso? Eu já tenho o suficiente para agir, e para agir à minha vontade. O pobre homem ainda tem cinco mil francos para gastar, e não deve retornar a Lillebonne por pelo menos quinze dias."

Três dias depois Raul apareceu no pensionato em Le Havre. Catherine disse-lhe imediatamente que ela e sua irmã haviam recebido uma carta do tabelião Bernard naquela manhã, convocando-as para um encontro na propriedade Barre-y-va na tarde seguinte. "Comunicação importante", dissera o notário.

– Fui eu – disse Raul – que pedi essa convocação. E é por isso que vim buscá-las, de acordo com minha promessa. Vocês estão com medo de voltar para lá?

– Não – disse ela.

De fato, seu rosto estava aliviado, sorridente e havia recuperado o ar de confiança e abandono.

– Você descobriu alguma coisa nova? – perguntou ela.

Ele declarou:

– Eu não sei o que vamos descobrir. Mas não há dúvida de que entraremos em um terreno menos nebuloso. Então você decidirá se deseja prolongar sua estada na Barre-y-va e avisará Arnold e Charlotte.

Na hora marcada, as duas irmãs e Raul chegaram ao casarão. Ao vê-los, Béchoux cruzou os braços, furioso.

– Mas isso é um disparate! – gritou ele. – Depois do que aconteceu, voltar para cá!

– Encontro com o tabelião – disse Raul. – Reunião de família. Você está convocado. Você não faz parte da família?

– E se elas forem atacadas novamente, as pobrezinhas?

– Nada com que se preocupar.

– Por quê?

– Já combinei com o fantasma de Barre-y-va para que nos avise primeiro.

– Como?

– Vou atirar em você.

Raul agarrou o brigadeiro pelos ombros e disse-lhe, à parte:

– Abra bem os ouvidos, Béchoux, tente compreender e admirar a maneira brilhante como vou trabalhar. Será longo, muito longo. Uma hora de sessão, talvez. Mas acredito que o resultado será precioso... Eu tenho uma intuição. Abra seus ouvidos, Béchoux.

O TESTAMENTO

O tabelião Bernard entrou no salão onde costumava vir no tempo de seu antigo cliente, o senhor Montessieux, e prestou seus respeitos a Bertrande e Catherine. Pediu que se sentassem e depois estendeu a mão para Raul.

– Agradeço-lhe por me enviar o endereço destas senhoras. Mas você pode me explicar…?

Raul o interrompeu.

– Penso, doutor, que a explicação deve ser dada principalmente pelo senhor… no caso, é claro, de algo novo ter acontecido desde que fizemos a nossa entrevista.

Raul interrogou com os olhos o tabelião, que respondeu:

– Então o senhor sabe que algo novo aconteceu?

– Tenho todos os motivos para supor, meu caro, que a questão que lhe apresentei em seu escritório foi resolvida.

– Graças ao senhor, sem dúvida – disse o tabelião –, e eu me pergunto com que artifícios. O fato é que, de acordo com as intenções que expressava com frequência, o senhor Montessieux deixou um testamento e as condições em que o encontramos só aumentam minha surpresa.

– Portanto, não me enganei ao supor que havia uma correlação entre as disposições desse testamento e os incidentes em torno do misterioso crime, do qual o senhor Guercin foi vítima?

– Eu não sei. O que eu sei é que o senhor fez bem em vir até mim em nome da senhorita Montessieux. Quando recebi, há alguns dias, a carta desconcertante que o senhor me enviou, fui obrigado, apesar da impossibilidade da suposição, a verificá-la.

– Não era uma suposição – disse Raul.

– Era para mim e bastante inadmissível. Eis a sua carta: "Doutor Bernard, o testamento do senhor Montessieux está no dossiê identificado com o nome dele, em seu cartório. Peço ao senhor que informe suas duas clientes, das quais segue o endereço atual". Em qualquer outra circunstância eu teria jogado esta carta no fogo. Em vez disso, fui procurar...

– E o resultado?

Bernard tirou de sua pasta um envelope branco marfim, bem grande, sujo pelo tempo e pelo contato manual. Imediatamente Catherine exclamou:

– Mas este é um dos envelopes que meu avô sempre usava!

– De fato – disse o tabelião. – Eu mesmo guardei vários que ele me enviou. Veja aqui, há algumas linhas escritas nele.

Catherine leu em voz alta:

"Este é o meu testamento. Oito dias após a minha morte, meu tabelião, doutor Bernard, o abrirá no meu casarão em Barre-y-va. Ele o lerá para minhas duas netas, e velará para que meus desejos sejam respeitados".

Catherine declarou de maneira solene:

– Esta caligrafia é do meu avô. Eu poderia dar vinte provas.

– Eu posso dizer o mesmo – disse o tabelião. – Por um excesso de escrúpulos, fui ontem a Rouen e consultei um especialista. Sua opinião é absolutamente coerente com a nossa. Portanto, não há dúvidas. Mas, antes de abri-lo, devo informar que, por mais de dez vezes nos últimos dois anos, tanto para procurar esta peça necessária para o gerenciamento das posses de Montessieux, que meu cliente sempre me confiou, quanto para satisfazer a minha necessidade de encontrar este testamento, por mais de dez vezes tive a oportunidade de folhear o dossiê Montessieux. Declaro, em nome da minha honra profissional, que ele não continha este documento.

– Entretanto, doutor Bernard… – opôs-se Béchoux.

– Só estou dizendo, senhor. Não havia tal documento no dossiê.

– Então, doutor Bernard, alguém o colocou lá?

– Não estou afirmando nada, e não estou negando nada – respondeu o tabelião. – Estou simplesmente afirmando uma verdade indiscutível. Além disso, minha lembrança é corroborada por um hábito do qual eu nunca me desviei. Nenhum dos testamentos que me são confiados fica guardado nos arquivos de meus clientes. Ficam todos trancados e arquivados em ordem alfabética no meu cofre. Portanto, se eu estivesse em posse deste testamento que estou prestes a ler para os senhores, estaria lá, e não no dossiê Montessieux, onde eu o encontrei.

Ele estava prestes a abrir o envelope quando Théodore Béchoux o deteve com um gesto.

– Um momento. Por favor, tenha a gentileza de me entregar este envelope.

Quando o tinha em mãos, ele o examinou com atenção minuciosa e concluiu:

– Todos os cinco selos estão intactos. Nesse aspecto, nada de suspeito. Mas o envelope foi aberto.

– O que o senhor está dizendo?

– Foi aberto ao longo de todo o seu comprimento... uma fenda foi feita ao longo da dobra superior com uma lâmina de canivete e depois habilmente colada de novo.

Com a ponta de uma faca, Béchoux separou as duas abas da fenda no ponto em que ele indicou, e assim foi capaz de remover do envelope, sem ter quebrado os selos, uma folha dupla de papel na qual estavam traçadas algumas linhas.

– O mesmo papel do envelope – disse Béchoux. – E a mesma caligrafia, não é?

O tabelião e Catherine foram da mesma opinião. Era a caligrafia do senhor Montessieux.

Não havia mais nada a fazer a não ser ler o testamento. O tabelião Bernard o fez em meio a um profundo silêncio e em meio à emoção causada pelas próprias circunstâncias dessa descoberta.

– Uma última coisa. As senhoras, minhas caras clientes, concordam que minha leitura deva ocorrer diante dos senhores Béchoux e Raul d'Avenac?

– Sim – disseram as duas irmãs.

– Então eu vou ler.

E mestre Bernard desdobrou a folha dupla.

Eu, Michel Montessieux, aos 68 anos de idade, sadio de mente e de corpo, agindo de acordo com ideias solidamente refletidas, de acordo com meus direitos legais e morais, deixo às minhas duas netas (pedindo a cada uma que as mantenham em propriedade indivisa, e que recebam metade de seus arrendamentos) as terras (muito reduzidas, infelizmente!) que compreendem a outrora florescente propriedade de Barre-y-va.

Esta propriedade, eu a divido em duas partes desiguais, que seguem aproximadamente o curso do rio. A parte da direita, que inclui a casa senhorial e tudo o que ela contiver no momento de minha morte, será propriedade de Catherine, que, tenho certeza, viverá nela e cuidará dela, como ela e eu sempre o fizemos. A outra metade pertencerá a Bertrande, que, casada e muitas vezes ausente, terá o prazer de ter o antigo pavilhão de caça como quinhão. Para reformá-lo e fortificá-lo, bem como para compensar a desigualdade das duas partes, será deduzida de meu patrimônio, em favor de Bertrande, a soma de trinta e cinco mil francos, representados pelo ouro em pó que consegui fabricar, e do qual darei, por meio de um codicilo[9]*, a localização exata. Igualmente, quando chegar a hora, revelarei o segredo desta descoberta inigualável, cuja autenticidade só o doutor Bernard poderia certificar, já que lhe mostrei alguns gramas do meu pó.*

Conheço minhas netas o suficiente para saber que não haverá dificuldade entre elas para respeitar meus desejos. Mas uma é casada, e a outra ainda se casará. E, para evitar interpretações errôneas que poderiam causar dolorosos mal-entendidos, elaborei um plano topográfico da propriedade, que deixo na gaveta direita da minha mesa. E ali especifico o seguinte, da forma mais categórica: o limite que separará as duas divisões da propriedade seguirá uma linha reta que partirá do salgueiro central, dentre os três salgueiros onde Catherine gostava de se refugiar, e terminará no último pilar a oeste, dentre os quatro pilares onde se encontram os portões da entrada principal. Ademais, tenho a intenção de marcar este limite com uma cerca ou uma paliçada. Cada coisa em seu lugar. É uma regra à qual me agarro fielmente.

---

[9] Alteração de um testamento por disposições posteriores a ele. (N.T.)

O doutor Bernard terminou muito rapidamente a leitura do testamento, que, para ele, oferecia apenas pontos de interesse secundário. Catherine e Raul olharam um para o outro quando os três salgueiros foram mencionados. Para eles, esse era o ponto principal dessas poucas páginas. Mas a atenção dos outros tinha sido atraída sobretudo pela cláusula sobre o ouro em pó, e Béchoux se pronunciou, em tom dogmático:

– Será necessário entregar este documento a especialistas e certificar-se de que não haja dúvidas sobre sua autenticidade. Mas uma prova que teria valor imediato e, em minha opinião, definitivo seria encontrar, nesta mansão ou no parque, os poucos quilos de ouro que correspondem à soma de trinta e cinco mil francos.

Béchoux assumiu um ar sardônico ao dizer estas últimas palavras. Mas Raul d'Avenac disse a Catherine:

– Não tem nenhuma declaração a fazer sobre isso, senhorita?

Poder-se-ia pensar que Catherine apenas esperava uma ordem de Raul, e que ela só falaria com a aprovação e a permissão dele, pois imediatamente ela declarou:

– Sim, eu posso dar testemunho pessoal e dar uma prova palpável da sinceridade do meu avô, que o senhor Béchoux exige. Nos três meses em que estivemos aqui, eu procurei por todos os lugares algo que trouxesse de volta todos os traços de um passado no qual fui tão feliz. Foi assim que eu encontrei, no lugar onde o vovô gostava de trabalhar, o mapa topográfico que elaborei com ele, e aqui está. E foi assim que uma coincidência me mostrou…

Ela olhou novamente para Raul, e, sentindo-se apoiada, terminou:

– … que um acaso me revelou onde está o ouro em pó.

– Como? – disse Bertrande. – Você descobriu… e não disse nada?

– Era um segredo do vovô. Eu não poderia revelá-lo sem a autorização dele.

Ela pediu a todos que a seguissem até o andar superior, e eles entraram, entre os aposentos dos criados, na alta sala central, cujas vigas suportavam a parte mais alta do telhado. Então ela apontou para alguns velhos vasos de grés[10] rachados e quebrados, como aqueles vasos fora de uso que são relegados a um canto para não ficar no caminho. Estavam cobertos de pó, e teias de aranha os uniam uns aos outros. Ninguém jamais tivera a ideia de removê-los de seu retiro, nem poderia ter tido. Sobre três deles havia vidros empilhados e placas quebradas.

Béchoux pegou uma pequena escada que havia encontrado e chegou a um dos potes, que entregou ao tabelião. À primeira vista, Bernard reconheceu, sob o pó, o brilho ofuscante do ouro, e murmurou, mergulhando seus dedos como se fosse na areia:

– É ouro… é pó de ouro, como a amostra de outrora, composto por grãos bem grandes.

A mesma quantidade enchia os outros recipientes. O peso anunciado pelo senhor Montessieux parecia estar correto. Béchoux concluiu, maravilhado:

– Então, o quê! Ele estava fabricando mesmo? Isso é possível? Cinco ou seis quilos de ouro, talvez… mas isso é um milagre!

E ele acrescentou:

– Desde que o segredo não tenha se perdido!

– Não sei se estará perdido – disse Bernard. – De qualquer forma, o testamento não continha nenhum codicilo sobre o assunto e no envelope não tinha nenhuma folha adicional. Sem a senhorita Montessieux, é bem provável que ninguém jamais teria tido a ideia de examinar os velhos vasos onde o tesouro estava escondido.

– Nem mesmo meu amigo d'Avenac, o grande adivinho e feiticeiro – disse Béchoux, não sem ironia.

[10] Cerâmica muito dura, composta de sílica. (N.T.)

– Aí é que você se engana – respondeu Raul. – Estive aqui no dia seguinte à minha chegada.

– Fale, então! – exclamou Béchoux, em tom cético.

– Pegue sua escadinha – ordenou Raul – e pegue o quarto pote. Bom. Há um pequeno cartão embaixo, agarrado na poeira, não há? Bem, você lerá neste cartão, na caligrafia do senhor Montessieux, os dois dígitos do ano e, ao lado, esta data: 13 de setembro. Esta é obviamente a data em que o pó de ouro foi despejado no frasco. Duas semanas mais tarde, o senhor Montessieux deixou a propriedade de Barre-y-va. Na noite de sua chegada a Paris, ele morreu repentinamente.

Béchoux ouviu, boquiaberto. Ele gaguejava:

– Você sabia?... Você sabia?...

– Saber é o meu dever– desdenhou Raul.

O tabelião desceu todos os vasos e os trancou no primeiro andar, dentro de um armário, em uma sala da qual ele reteve a chave.

– É mais do que provável – disse a Bertrande – que esta soma seja dada à senhora. Mas eu devo, dadas as circunstâncias, tomar precauções com relação à autenticidade do testamento.

O doutor Bernard estava prestes a se retirar quando Raul lhe disse:

– Posso pedir mais um minuto de sua atenção?

– Sim, é claro.

– Anteriormente, quando o senhor estava lendo o testamento, eu vi alguns números na última página.

– De fato – respondeu o tabelião, mostrando a página. – Mas parecem números colocados ao acaso, e que poderiam corresponder a uma preocupação do momento. Estes números, é claro, não têm nenhuma conexão com as disposições do senhor Montessieux. Tenho certeza, pois os examinei cuidadosamente. Como o senhor pode ver, eles foram traçados bem abaixo da assinatura, às pressas, mal escritos, como uma nota que foi tomada porque não havia outro papel à mão.

– O senhor deve ter razão, doutor Bernard – disse Raul. – Mesmo assim, o senhor me permite copiá-los?

E Raul copiou esta linha de números:

3141516913141531011129121314

– Muito obrigado – disse ele. – Às vezes um acaso favorável pode nos dar indicações fortuitas que não devem ser negligenciadas. Embora isso pareça muito obscuro, talvez haja alguma coisa nesse número.

A entrevista estava terminada. Béchoux, desejoso de desenvolver algumas considerações que o fizessem sobressair, acompanhou o tabelião até o portão. Quando ele voltou, encontrou no toucador do andar térreo Raul e as duas jovens, todos os três silenciosos, e exclamou em tom professoral:

– E então? O que você acha? E esses números? Parecem números anotados sem nenhuma razão, certo?

– Provavelmente – disse Raul. – Farei para você uma cópia, e você poderá estudá-los.

– E quanto ao resto?

– Meu amigo... a colheita não foi ruim.

Esta pequena frase, solta assim de forma negligente, foi seguida por um silêncio. Devia haver sérios motivos para que Raul a tivesse proferido. Um sentimento de curiosidade ansiosa fez com que todos se voltassem para ele.

Ele repetiu:

– A colheita não foi ruim. E ainda não acabou... A sessão continua.

– Você vê algum sentido em toda esta confusão? – perguntou Théodore Béchoux.

– Eu vejo muitos – respondeu Raul –, e todos eles nos levam de volta ao centro da aventura.

– O que você quer dizer com isso?

– Quero dizer, a remoção dos três salgueiros.

– Essa é a sua ideia fixa... ou melhor, a da senhorita Montessieux.

– E que tem sua justificação muito clara no testamento do senhor Montessieux.

– Mas, pelo amor... o plano do senhor Montessieux situa os três salgueiros no mesmo lugar em que eles estão.

– Sim, mas examine bem este plano como acabo de fazer e você verá que o mesmo trabalho feito no terreno também foi feito no papel. Veja... aqui, no local do morro, a cruz tripla que representa o grupo de salgueiros foi rasurada. Uma rasura hábil, mas pode-se facilmente identificá-la com uma lupa.

– E então? – disse Béchoux, abalado.

– Então, lembra-se do outro dia, quando eu fiquei deitado no galho de um dos salgueiros e lhe deixei plantado como um Apolo no morro? Bem, naquele momento eu estava procurando em todas as direções por uma coisa que vamos encontrar aqui, neste plano, com precisão matemática. Pegue esta régua e este lápis e, de acordo com as instruções do senhor Montessieux, desenhe uma linha, partindo do pilar indicado até o salgueiro central.

Béchoux obedeceu, e Raul continuou:

– Bom. Agora, mantendo a parte inferior da régua no pilar, gire-a para a esquerda, na parte superior, de modo que ela chegue até o morro. Bom. Agora retire a régua. Desta forma, você desenhou um ângulo agudo que parte do pilar: um traço à esquerda, em direção ao local original dos três salgueiros, e outro à direita, em direção ao local atual. Na abertura deste ângulo estende-se uma faixa, ou um pedaço de terra, como quiser. Se adotarmos o plano original do senhor Montessieux, este pedaço pertence ao lote número 1, ou seja, aos proprietários do casarão; e se adotarmos o plano retificado clandestinamente, pertence ao lote número 2, ou seja, aos proprietários do alojamento de caça. Você entendeu?

– Sim – disse Béchoux, cativado instantaneamente pela argumentação de Raul.

– Então – disse Raul –, eis o primeiro ponto esclarecido. Vamos passar para o segundo. O que há neste pedaço de terra?

– As rochas – disse Béchoux – e metade do Butte-aux-Romains e a parte do estreito desfiladeiro onde corre o rio, a ilha, etc.

– Ou seja – aduziu Raul –, o terreno roubado (pois isso é puro roubo) abrange aproximadamente todo o rio, ao longo de seu curso através da propriedade. E, no final, o senhor Montessieux desejava deixar o curso deste rio para os herdeiros do casarão, mas ele o deixou contra sua vontade para os herdeiros do alojamento de caça.

– Então – disse Béchoux – você afirma que toda a trama foi para roubar o rio de uma pessoa para o benefício de outra?

– Exatamente. Quando o senhor Montessieux morreu, alguém interceptou o testamento, e mais tarde veio aqui e transportou, com a ajuda de cúmplices, os três salgueiros.

– Mas o testamento não poderia prever a finalidade desse deslocamento e não indica nada para você também. Qual a finalidade?

– Não, mas lembre-se do que o senhor Montessieux disse: "Vou revelar o segredo do ouro quando chegar a hora". Esta explicação pode não ter sido dada, mas o ladrão do testamento sem dúvida descobriu e logo teve a perspicácia para providenciar o deslocamento dos três salgueiros.

Béchoux, embora convencido, ainda procurava objeções, e retomou:

– Hipótese interessante. Mas quem você acha que fez isso?

– Você conhece o provérbio latino *"Is fecit cui prodest"*? O culpado é aquele que se beneficiaria com o ato.

– Impossível! Pois, nesse caso, o ato beneficiaria a senhora Guercin, cuja herança seria aumentada pela parte roubada. E você não está insinuando que...?

Raul não respondeu de imediato. Ele refletia, enquanto observava o rosto de seus interlocutores, como se quisesse ver o efeito que suas palavras produziam neles.

Ao final, ele se voltou para Bertrande.

– Desculpe-me, senhora. Não estou insinuando nada, como afirma o senhor Béchoux. Estou simplesmente ligando os fatos, e exercendo o máximo possível de rigor e lógica em minhas deduções.

– Certamente as coisas aconteceram como o senhor diz – atalhou Bertrande. – Mas, pelo que parece, simplesmente há alguém trabalhando por mim. Na verdade, não vou lucrar com o roubo mais do que Catherine teria lucrado, em caso contrário. Não haverá cercas nem paliçadas entre nós. Portanto, o instigador desta inexplicável trama estava trabalhando para seu próprio interesse.

– Não tenho dúvidas a este respeito – disse Raul.

Béchoux interveio:

– E você não tem nenhuma ideia?... Entretanto, você sabia que o documento tinha sido introduzido no arquivo Montessieux.

– Eu sabia disso.

– Como você soube?

– Pelo próprio homem que fez a tramoia.

– Bem, por meio dele podemos chegar ao cerne da questão.

– Ele é apenas um comparsa.

– Sim, um agente de execução na folha de pagamento de outra pessoa?

– Justamente.

– Seu nome?

Raul não teve pressa em dar detalhes. Ele parecia tentar dar à cena, com sua reticência e hesitação, a maior intensidade possível. No entanto, Béchoux insistiu. As duas irmãs esperavam por sua resposta.

– Em todo caso, Béchoux – disse ele –, vamos continuar essa investigação somente entre nós, certo? Não vá trazer seus amigos policiais para nos atrapalhar!

– Não.

– Você jura?

– Juro por Deus.

– Bem, a traição ocorreu no próprio cartório.

– Você tem certeza?

– Absoluta.

– Por que você não disse ao doutor Bernard?

– Porque ele não teria agido com a discrição necessária.

– Então podemos interrogar alguém do convívio dele, um de seus funcionários, por exemplo. Eu o farei.

– Eu conheço todos eles – disse Catherine. – Um deles veio aqui há algumas semanas para ver seu marido, Bertrande. Lembro-me agora (ela baixou a voz) que foi na manhã do dia em que ele foi morto... Eram oito horas. Eu esperava por notícias do meu noivo, e foi no corredor que encontrei aquele escrivão do escritório de Bernard. Ele parecia muito agitado. Naquele momento, seu marido desceu as escadas e eles foram juntos para o jardim.

– Então – disse Béchoux – você sabe o nome dele?

– Oh! Eu o conheço desde sempre. É o segundo escriturário, um homem alto, magro e melancólico. É o tio Fameron.

Raul já aguardava por este nome, e não a olhou nos olhos. Depois de um momento, ele perguntou:

– Uma pequena informação, por favor, madame. Na noite anterior, o senhor Guercin esteve fora do casarão?

– Talvez – disse Bertrande –, eu não me lembro muito bem.

– Eu me lembro – disse Béchoux – e perfeitamente. Ele estava com dor de cabeça. Ele me acompanhou até a vila, e continuou sua caminhada em direção a Lillebonne... Eram dez horas da noite.

Raul d'Avenac levantou-se e rodou pela sala por dois ou três minutos. Então ele voltou ao seu lugar e disse calmamente:

– É curioso. Há realmente algumas coincidências estranhas. O homem que introduziu o testamento no arquivo Montessieux se chama Fameron. Naquela noite, por volta das dez horas, lá para os lados de Lillebonne, ele se encontrou com a pessoa que desejava que este testamento, roubado por ela, é claro, fosse colocado entre os papéis da pasta. E o tio Fameron, após hesitar, empreendeu a missão em troca de um pagamento de vinte mil francos.

DOIS DOS CULPADOS

As palavras de Raul d'Avenac foram seguidas por um pesado silêncio, em que pulsavam os pensamentos mais diversos. Bertrande havia colocado uma de suas mãos diante dos olhos e refletia. Ela disse a Raul:

– Eu não entendo muito bem. Há uma acusação mais ou menos clara em suas palavras?...

– Contra quem, senhora?

– Contra meu marido?

– Em minhas palavras, nenhuma acusação – respondeu Raul. – Mas confesso que eu mesmo, ao expor os fatos enquanto eles se apresentavam à minha mente, fiquei espantado com o aspecto que eles tomam contra o senhor Guercin.

Bertrande não pareceu muito surpresa, e explicou:

– A afeição que Robert e eu tínhamos um pelo outro, na época de nosso casamento, não resistiu às provações. Eu o seguia na maioria de suas viagens, porque ele era meu marido e porque tínhamos interesses comuns, mas não sabia nada de sua vida pessoal. Portanto, eu não ficaria muito indignada se os acontecimentos nos obrigassem a examinar sua conduta. O que o senhor está pensando exatamente? Responda sem relutância.

– Posso fazer algumas perguntas? – perguntou Raul.

– Sim, é claro.

– O senhor Guercin estava em Paris quando o senhor Montessieux morreu?

– Não. Estávamos em Bordeaux. Fomos informados por um telegrama de Catherine, e chegamos na manhã seguinte.

– E onde ficaram?

– No apartamento do meu avô.

– O quarto do seu marido ficava longe daquele onde o senhor Montessieux estava sendo velado?

– Muito perto.

– Seu marido velou o corpo?

– Na última noite, revezando comigo.

– Ele ficou sozinho na sala?

– Sim.

– Havia um armário, um cofre, onde se supunha que o senhor Montessieux guardava seus papéis?

– Um armário.

– Trancado?

– Eu não me lembro.

– Eu me lembro – disse Catherine. – Quando vovô foi surpreendido pela morte, o armário estava aberto. Tirei a chave e a coloquei na lareira onde o tabelião Bernard a pegou no dia do funeral, a fim de abrir o armário.

Raul fez um gesto seco com sua mão e disse:

– Há, portanto, razões para acreditar que foi durante a noite que o senhor Guercin roubou o testamento.

Bertrande revoltou-se imediatamente:

– O que o senhor está dizendo? Mas isto é abominável! Que direito o senhor tem de afirmar, *a priori*, que ele o roubou?

– Só pode ter sido ele – disse Raul –, já que pagou ao senhor Fameron para introduzi-lo no dossiê Montessieux.

– Mas por que ele o roubaria?

– Primeiro para lê-lo, e depois para ver se havia alguma disposição que prejudicasse vocês, ou melhor, a ele.

– Mas não havia nenhuma!

– À primeira vista, não. A senhora receberia uma parte, sua irmã uma parte maior, e a senhora seria compensada com uma soma em ouro. Mas de onde vinha esse ouro? Isso é o que a senhora está agora se perguntando, e o que o senhor Guercin também se perguntou. Habilmente, ele embolsou o documento, tendo tempo para estudá-lo e para tentar encontrar a página adicional, um anexo, que explicava o segredo da fabricação do ouro. Ele não encontrou nada. Mas suas reflexões, cujo processo pode ser adivinhado pela leitura do documento, o levaram, dois meses depois, a rondar pelo Radicâtel.

– O que você sabe, senhor? Ele nunca saía do meu lado. Eu viajava com ele.

– Nem sempre. Naquela época, ele simulou uma viagem à Alemanha (eu soube desta ausência por sua irmã, sem que ela percebesse). Na realidade, ele se estabeleceu do outro lado do Sena, em Quillebeuf, e à noite vinha para a mata próxima e se escondia na cabana da dona Vauchel e de seu filho. À noite ele atravessava o muro atrás das rochas, em um lugar que eu avistei, e vinha visitar o casarão. Visitas inúteis que não lhe trouxeram nada, nem a explicação do segredo, nem sobre o ouro. Mas, para acrescentar à sua herança a faixa de terra à qual, no próprio espírito do testamento elaborado, a descoberta e a posse do segredo pareciam estar ligadas, ele moveu os salgueiros, fechando assim em seu terreno as rochas, o Butte-aux-Romains e o rio.

Bertrande estava ficando cada vez mais irritada.

– Quero provas! Provas!

– Foi o filho Vauchel, um lenhador local, quem fez o trabalho. A mãe dele sabia disso. Antes de ficar completamente louca, ela comentou por aí. Algumas senhoras que eu questionei na aldeia confirmaram que estes fatos são verídicos.

– Mas era mesmo o meu marido?

– Sim. Ele era bem conhecido na região, porque já havia morado com a senhora no casarão. Além disso, encontrei seus rastros no hotel de Quillebeuf, onde ele se registrou com um nome falso sem disfarçar a caligrafia. Rasguei a página do registro, e a tenho em minha carteira. O registro também continha a assinatura de outra pessoa, que se juntou a ele no final de sua estada.

– Outra pessoa?

– Sim, uma mulher.

Bertrande teve um ataque de raiva.

– Isso é uma mentira! Meu marido nunca teve uma amante. Tudo isso é uma calúnia e uma mentira! Por que o senhor o persegue?

– Foi a senhora quem me perguntou.

– E então? E então? – disse ela, tentando se controlar. – Continue. Eu quero saber até onde o senhor terá a audácia...

Raul continuou calmamente:

– Depois disso, o senhor Guercin interrompeu seu empreendimento. Os salgueiros recuperaram o vigor no lugar onde ele os havia mandado plantar. O morro de onde ele os havia arrancado recuperava gradualmente sua aparência natural. Mas o problema permanecia sem solução, e o segredo do ouro fabricado continuava impenetrável. O desejo de retomar os planos o trouxe até aqui, quando a senhora e sua irmã se mudaram para cá. Tinha chegado o momento de utilizar o testamento, de viver no mesmo local onde o senhor Montessieux tinha vivido, e de investigar *in loco* o terreno conquistado e em que condições o ouro havia sido fabricado. Na segunda noite ele contratou o senhor Fameron e, por vinte mil francos, comprou a consciência do pobre homem. Na manhã seguinte o senhor Fameron voltou para cá – por um resto de escrúpulos, instruções a serem recebidas, não seria possível dizer. Após o café da manhã, o senhor Guercin entrou no parque, atravessou o rio, apressou-se em direção ao pombal, abriu a porta...

– ... E levou um balaço no peito, que o matou na hora – interrompeu Béchoux, em voz alta, levantando-se, com os braços cruzados, em atitude provocadora. – Pois, afinal de contas, é a isso que se resume toda a sua demonstração!

– O que você quer dizer?

Béchoux repetiu, com a mesma voz veemente:

– Ele levou um balaço no peito, que o matou na hora! Assim, o senhor Guercin seria a alma do complô; ele teria roubado o testamento; teria trasladado três árvores; teria desfalcado mil metros deste jardim; teria movido céus e terras, e não apenas isso, para completar seu trabalho, ele teria montado a armadilha suprema! Mas foi ele, pelo contrário, a vítima de suas próprias emboscadas! E isso é tudo o que você nos propõe! E você quer que eu, Béchoux, brigadeiro Béchoux, acredite nessas tolices! Para cima de mim, não, meu velho!

Béchoux, o brigadeiro Béchoux, havia se plantado em frente a Raul d'Avenac, os braços ainda cruzados e seu rosto inflado de santa indignação. A seu lado, Bertrande tinha se endireitado, pronta para defender o marido. Catherine, sentada de cabeça baixa, sem demonstrar nenhum de seus sentimentos, parecia estar chorando.

Raul encarou Béchoux por muito tempo com uma expressão de indizível desprezo, como se estivesse pensando: "E eu não posso fazer nada com esse imbecil!". Então ele encolheu os ombros e saiu.

Ele podia ser visto através da janela. Andava na estreita varanda que corria ao lado da casa. Com um cigarro nos lábios, as mãos nas costas, os olhos fixos nas lajes do terraço, ele pensava. Foi ao rio, seguiu-o até a ponte, parou e depois voltou. Passaram-se mais alguns minutos.

Quando ele voltou, as duas irmãs e Béchoux não disseram uma palavra. Bertrande, sentada ao lado de Catherine, parecia ter desabado. Quanto a Béchoux, não demonstrava o menor sinal de resistência, de provocação, de arrogância agressiva. Parecia que o olhar de desdém de Raul o tinha esvaziado, e que agora, humildemente, ele apenas desejava ser perdoado por sua revolta contra o mestre.

Raul nem se deu mais ao trabalho de prosseguir com seu argumento nem de explicar suas contradições. Simplesmente perguntou a Catherine:

– Eu devo responder, para que você volte a ter confiança em mim, à questão levantada por Théodore Béchoux?

– Não – disse a garota.

– Essa é sua opinião, senhora? –perguntou a Bertrande.

– Sim.

– A senhora tem fé absoluta em mim?

– Sim.

Ele continuou:

– Vocês desejam permanecer no casarão, voltar a Le Havre ou ir para Paris?

Catherine se levantou bruscamente e, olhando nos olhos dele, disse:

– Faremos o que você aconselhar, minha irmã e eu.

– Nesse caso, fiquem no casarão. Mas não se preocupem com o que pode acontecer. Sejam quais forem as aparências, por mais violentas que sejam as ameaças pelas quais vocês se sintam cercadas e as previsões de Théodore Béchoux, não fiquem apreensivas nem por um segundo. Há apenas uma precaução a tomar: preparem-se para deixar o casarão em algumas semanas, e anunciem em voz alta que partirão no dia 10 de setembro, ou no máximo dia 12, pois alguns negócios as chamam de volta a Paris.

– A quem devemos dizer isso?

– Para todo mundo que vocês encontrarem no vilarejo.

– Nós quase não saímos.

– Então digam isso a seus criados, que eu buscarei em Le Havre. Que suas intenções sejam conhecidas pelo tabelião Bernard, por seus funcionários, pela Charlotte, pelo senhor Arnold, pelo juiz de instrução. No próximo dia 12 de setembro o casarão será fechado, e a intenção de vocês é não voltar antes da próxima primavera.

Béchoux insinuou:

– Eu não estou entendendo muito bem.

– Eu ficaria surpreso se entendesse – disse Raul.

A reunião estava encerrada. Como Raul havia previsto, já tinha sido longa. Béchoux perguntou-lhe, chamando-o de lado:

– Terminou?

– Ainda não. O dia ainda não terminou, meu caro. Mas o resto não é da sua conta.

Naquela noite, Charlotte e o senhor Arnold retornaram. Raul havia decidido que ele e Béchoux deveriam, já no dia seguinte, instalar-se sumariamente no alojamento de caça, e que a governanta de Béchoux cuidaria de seus serviços. Esta foi a máxima precaução que ele consentiu em tomar, afirmando que as duas irmãs não corriam perigo por permanecer sozinhas, e nunca tinham corrido; e que era preferível, por razões que não explicou, permanecerem separados delas. Tamanha era sua influência sobre elas, apesar da estranheza dessa afirmação, que nenhuma das duas protestou.

Catherine, encontrando-se sozinha com ele por um momento, murmurou, sem olhá-lo diretamente:

– Eu obedecerei, Raul, não importa o que aconteça. Seria impossível não obedecer você.

Ela desvanecia de emoção. E também sorria.

O último jantar em comum foi taciturno. As acusações de Raul tinham criado algum desconforto. À noite, como de costume, as duas irmãs permaneceram no toucador. Às dez horas Catherine se retirou, seguida por Béchoux. Mas quando Raul estava prestes a deixar a sala de bilhar, Bertrande se aproximou dele e disse:

– Tenho algo para falar com o senhor.

Ela estava muito pálida, e ele viu que seus lábios estavam tremendo.

– Eu não creio – disse ele – que esta conversa seja indispensável.

– Sim, sim – ela disse, com clareza. – O senhor não sabe o que tenho para dizer, e se é sério ou não.

Ele repetiu:

– A senhora tem certeza? Tem certeza que eu não sei?

A voz de Bertrande se alterou um pouco.

– Como o senhor me responde! Eu poderia pensar que tem alguma animosidade em relação a mim.

– Ah! Nenhuma, eu juro – disse ele.

– Sim, sim. Caso contrário, não teria me revelado a presença dessa mulher que estava em Quillebeuf, perto de meu marido. Teria sido uma dor inútil.

– A senhora é livre para não dar crédito a esse detalhe.

– Não é um detalhe – murmurou ela. – Não é um detalhe.

Ela não tirava os olhos de Raul. Depois de uma pausa, perguntou, hesitante e ansiosamente:

– Então o senhor tem aquela página do registro?

– Sim.

– Mostre para mim.

Ele tirou de sua carteira uma página, cuidadosamente cortada. Estava dividida em seis quadros, cada um deles contendo as perguntas impressas e as respostas manuscritas dos viajantes.

– Onde está a assinatura do meu marido?

– Aqui – disse ele –, senhor Guercigny. Como pode ver, uma alteração do nome dele. A senhora reconhece a caligrafia?

Ela baixou a cabeça e não respondeu. Depois, continuou, ainda olhando para ele:

– Eu não vejo nenhuma assinatura de mulher nesta página.

– Não. A mulher só chegou alguns dias depois. Eis a outra página que removi, e aqui está a assinatura: senhora Andréal, de Paris.

Bertrande sussurrou:

– Senhora Andréal. Senhora Andréal…

– O nome lhe diz alguma coisa?

– Nada.

– E reconhece a letra?

– Não.

– Na verdade, ela está visivelmente disfarçada. Mas, estudando-a cuidadosamente, é impossível não encontrar certos sinais peculiares e muito característicos, como o A maiúsculo, o pingo do i inclinado para a direita.

Ela gaguejou, depois de um momento:

– Por que o senhor fala de sinais particulares? Então o senhor tem pontos de comparação?

– Sim.

– O senhor tem a caligrafia desta mulher?

– Sim.

– Mas… então… o senhor sabe quem escreveu estas linhas?

– Eu sei.

– E se estiver enganado? – ela gritou, com uma explosão de energia. – Pois, enfim, o senhor pode estar enganado… Duas caligrafias podem ser parecidas e não ser da mesma pessoa. Pense nisso. Essa acusação é muito grave!

Bertrande ficou em silêncio. Seus olhos, por sua vez, imploraram a Raul e o desafiaram. Então, de repente, ela caiu em uma poltrona e começou a soluçar.

Ele deu a ela um tempo para se refazer, pouco a pouco. E, inclinando-se, colocou sua mão no ombro dela e sussurrou:

– Não chore. Prometo fazer tudo certo. Mas, por favor, diga-me que todas as minhas suposições estão corretas e que eu posso continuar com o que comecei.

– Sim – disse ela em um tom quase imperceptível –, sim, essa é toda a verdade.

Ela havia agarrado a mão de Raul e, segurando-a entre as suas, pressionou-a e molhou-a com suas lágrimas.

– Como foi que as coisas aconteceram? – disse ele. – Apenas algumas palavras, para que eu saiba… mais tarde, se for necessário, falaremos novamente.

Ela disse, com uma voz alquebrada:

– Meu marido não é tão culpado quanto se pensa… Foi o vovô que confiou a ele uma carta, que deveria ser aberta na sua morte, na presença do tabelião. Meu marido a abriu e encontrou o testamento.

– Foi essa a explicação do seu marido?

– Sim.

– É pouco provável. Seu marido tinha boas relações com o senhor Montessieux?

– Não.

– Então, como seu avô teria confiado a ele seu testamento?

– De fato... de fato. Mas estou apenas dizendo o que ele me contou... várias semanas depois.

– Ao manter-se em silêncio sobre os desejos do senhor Montessieux, a senhora se tornou cúmplice de seu marido.

– Eu sei disso... e estava sofrendo muito. Mas estávamos com grandes problemas de dinheiro, e parecia que estávamos sendo prejudicados por causa de Catherine. Foi essa história do ouro que virou a cabeça do meu marido. Apesar de tudo, estávamos convencidos de que o vovô tinha o segredo da fabricação; e que, ao legar a Catherine o casarão e todo o terreno do parque à direita do rio, ele estava assim entregando a ela, e somente a ela, tesouros ilimitados.

– Mas ela certamente teria compartilhado com você.

– Tenho certeza disso, mas estava sob o domínio do meu marido, e me deixei levar pela fraqueza, pela covardia... Às vezes até mesmo com uma espécie de raiva. Era tão injusto... tão revoltante!

– Mas, mesmo com o testamento desaparecido, a propriedade permanecia indivisa entre você e sua irmã.

– Sim, mas ela poderia se casar, como vai acontecer em breve, e nós não estaríamos mais livres para fazer as buscas que queríamos. Além disso, meu marido soube de mais coisas.

– Por quem?

– Pela dona Vauchel, que costumava trabalhar aqui, e que, em sua semiloucura, contou a ele várias coisas sobre o vovô, principalmente sobre as rochas, o Butte-aux-Romains e o rio. Tudo se encaixava com os desejos de meu avô em relação a essa fronteira dos salgueiros, que ele queria impor entre as duas divisões.

– E foi por isso que o senhor Guercin alterou as fronteiras?

– Sim. Eu vim para Quillebeuf, como você pôde descobrir pela minha assinatura. Meu marido me colocou a par dos acontecimentos...

– E depois?

– Ele não me disse mais nada. Não confiava em mim.

– Por quê?

– Porque eu me arrependi, e ameacei contar tudo para Catherine. Além disso, estávamos vivendo cada vez mais distantes. Quando vim para cá com Catherine, em razão do noivado dela, era para mim uma separação definitiva. A chegada de meu marido dois meses depois me surpreendeu. Ele não me contou nada sobre seu acordo com Fameron, e eu não sei quem o matou, ou por que ele foi morto.

Ela estremeceu. A lembrança do crime a abalou novamente, e ela teve um ataque de desespero e terror que a atirou nos braços de Raul.

– Por favor... por favor... – ela implorava. – Ajude-me... Ajude-me... Proteja-me...

– De quem?

– De ninguém... mas dos acontecimentos... do passado... Não quero que ninguém saiba o que meu marido fez, e que eu fui cúmplice dele. Você descobriu tudo, e pode impedir que... Você pode fazer o que quiser. Eu me sinto tão segura ao seu lado! Proteja-me!

Ela pressionava a mão de Raul contra seus olhos molhados e suas faces cobertas de lágrimas.

Raul ficou muito perturbado. Ele a ergueu. O belo rosto de Bertrande estava próximo ao dele, um rosto trágico, distorcido pela emoção.

– Não tenha medo. – murmurou ele – Eu a protegerei.

– E então você vai lançar alguma luz, não vai? Todo este mistério está pesando sobre mim. Quem matou o meu marido? Por que ele foi morto?

Ele disse-lhe muito baixo, contemplando os lábios trêmulos:

– Seus lábios não foram feitos para o desespero… É preciso sorrir… sorrir e não ter medo… Vamos descobrir juntos.

– Sim, juntos – disse ela com ardor. – Perto de você, eu me sinto em paz. Confio apenas em você… Além de você, ninguém pode me ajudar. Não sei o que está acontecendo dentro de mim…, mas só tenho você… só me resta você… Não me abandone…

O HOMEM DA CARTOLA

O senhor Fameron retornou de Rouen muito antes do que Raul havia previsto. Após ter sido roubado por um de seus camaradas de boemia, ele tomou posse, na estrada de Lillebonne para Radicâtel, da casinha que havia arranjado para si no curso de uma longa vida de privações e retidão. Naquela noite foi para a cama com a consciência tranquila, como um homem que não tem no bolso um centavo que não seja ganho com seu trabalho honesto.

Assim, ele ficou surpreso ao ser despertado, no meio da noite, por um indivíduo que jogou um facho de luz em seus olhos, e que lembrava vagamente certo episódio bastante confuso em sua alegre vida de folião.

– Ei, Fameron, não reconhece seu velho camarada de Rouen, o amigo Raul?

Ele se levantou, assustado e atordoado, e gaguejou:

– O que você quer de mim? Raul? Não conheço ninguém com esse nome.

– Não se lembra de nossas festas, como você dizia, e das confidências que me fez uma noite em Rouen?

– Que confidências?

– Você sabe, Fameron… e os vinte mil francos? O cavalheiro que procurou por você? A carta no dossiê Montessieux?

– Cale-se! Cale-se! – gemeu Fameron, com a voz estrangulada.

– Muito bem. Mas então me responda. E se você me responder gentilmente, não direi uma palavra sobre seu caso ao meu amigo Béchoux, o brigadeiro da Sûreté, com quem estou investigando o assassinato do senhor Guercin.

O terror do pobre Fameron tornou-se exasperado. Ele revirava os olhos brancos e parecia que estava prestes a desmaiar.

– Guercin? Senhor Guercin?… Juro que não sei de nada.

– Eu acredito, Fameron… você não tem cara de assassino… É outra coisa que eu gostaria de saber… uma coisinha de nada… e, depois disso, você pode voltar a dormir como uma boa garotinha.

– O quê?

– Você conhecia o senhor Guercin anteriormente?

– Sim, eu o tinha visto no cartório, como um cliente.

– E depois disso?

– Nunca.

– A não ser no dia em que ele procurou por você, e naquele outro dia em que você foi vê-lo em Radicâtel, na manhã do crime?

– É isso aí.

– Bem, só quero saber de uma coisa: naquela noite ele estava sozinho?

– Sim… ou melhor, não.

– Decida-se.

– Ele estava sozinho, falando comigo. Mas a dez metros de distância, entre as árvores (estávamos na estrada, perto daqui), eu pude entrever alguém na escuridão

– Esse alguém estava com ele, ou estava espionando?

– Eu não sei... Eu disse a ele: "Tem alguém aqui...". Ele disse: "Eu não me importo".

– Como era ele, esse alguém?

– Eu não sei. Vi apenas uma sombra.

– Como era essa sombra?

– Eu não saberia dizer. Mas pude ver que usava um chapéu bem grande.

– Um chapéu bem grande?

– Sim, como uma cartola, com abas muito largas e uma coroa bem alta.

– Há mais alguma coisa que você queira me dizer?

– Nada.

– Você não tem a menor opinião sobre o assassinato do senhor Guercin?

– Nenhuma. Apenas penso que pode haver uma conexão entre o criminoso e a sombra que eu vi.

– Provavelmente – disse Raul. – Mas não se preocupe mais com isso, Fameron. Não pense mais nisso e vá dormir.

Com um leve empurrão, ele obrigou Fameron a se deitar, puxou os lençóis até o queixo, aconchegou-o e afastou-se na ponta dos pés, desejando que o homem dormisse bem e com os anjos.

Quando Arsène Lupin contou, mais tarde, sobre o papel que desempenhara sob o nome de Raul d'Avenac, na aventura de Barre-y-va, ele fez naquele momento uma pequena digressão psicológica: "Eu pude constatar que, em meio a uma crise, sempre nos equivocamos sobre o estado de espírito daqueles que estão envolvidos. Nós os julgamos, com astúcia, em tudo que diz respeito à ação na qual estamos engajados; mas seus pensamentos secretos, bem como seus sentimentos, seus gostos, seus projetos, permanecem desconhecidos para nós. Assim, neste caso, eu não conseguia perceber absolutamente nada na psicologia de Bertrande, nem na de Catherine. Nem desconfiei que houvesse algo para perceber, ou que fosse estranho ao nosso caso. Ambas tinham oscilações de humor, ataques de confiança e desconfiança, de medo e tranquilidade, alegria e tristeza, sobre os quais estava completamente enganado. A cada alteração no humor delas, eu buscava alguma conexão com nosso caso e as questionava apenas sobre ele, quando na maioria das vezes seus pensamentos não tinham nada a ver com isso. Meu erro, ao estar obcecado por um caso criminal sobre o qual minha opinião não estava longe de ser formada, foi não ver que parte do problema era sentimental. Isso atrasou um pouco a resolução".

Mas, por outro lado, quantas compensações esse atraso rendeu a Raul! Ele era o conselheiro diário das duas irmãs, encarregando-se de prestar a elas apoio moral e elevar sua coragem; e viveu com as duas algumas semanas encantadoras. Pela manhã, antes do café da manhã, elas o encontravam em um barco que ele tinha atracado no pilar esquerdo, com o qual se dedicava à pesca, seu passatempo preferido.

Às vezes eles se afastavam, levados pela maré, que levava o rio de volta à sua nascente. Passavam sob a ponte e aproximavam-se do Butte-aux-Romains, no desfiladeiro profundo que levava aos salgueiros. E depois voltavam calmamente, com o fluxo da maré descendente.

À tarde, caminhavam pelas proximidades, em direção a Lillebonne ou Tancarville, ou para o vilarejo de Basmes. Raul conversava com os camponeses. Embora os normandos desconfiem dos estrangeiros, a quem chamam de *horsains*, Raul sabia fazê-los soltar a língua; e assim soube que vários roubos haviam sido cometidos, nos últimos anos, contra os fazendeiros ricos e os castelos da nobreza. Ladrões saltavam muros, escalavam aterros, invadiam as casas, e velhas joias de família e peças de prataria desapareciam.

As investigações realizadas nunca deram qualquer resultado, e os tribunais nem sequer haviam mencionado esses furtos durante o caso Guercin; mas era sabido na região que vários desses furtos tinham sido cometidos por um homem de cartola. Muitos afirmavam ter visto a silhueta desse homem de cartola, e ele parecia ter a pele escura, provavelmente negra. O homem era magro, e de altura muito acima da média.

Em três ocasiões suas pegadas foram identificadas: eram pesadas, enormes, e com certeza foram feitas com calçados de tamanho extremamente descomunal.

Mas o que mais intrigou foi o fato de que em certa ocasião, para entrar em um castelo, o homem tinha conseguido entrar por uma antiga tubulação, tão estreita que mal teria espaço para uma criança. A silhueta gigantesca de cartola foi avistada no pátio interno dessa propriedade, assim como os rastros de seus calçados enormes. E tudo isso tinha escorregado pelo velho encanamento!

Assim, a lenda do homem da cartola espalhou-se na região como a de uma besta terrível, capaz dos piores males. De acordo com os mexericos, não havia dúvida de que ele era o assassino do senhor Guercin. A suposição não era de todo improvável.

Béchoux, tendo sido informado, lembrou-se da noite em que Catherine foi atacada em seu quarto; e pôde afirmar que o agressor perseguido na escuridão do parque havia deixado nele, Béchoux, a impressão de estar usando uma cartola. Uma visão muito fugaz, mas que agora ele encontrava gravada em sua memória.

Assim, todas as suposições giravam em torno desse indivíduo misterioso, adornado e calçado de forma tão estranha. Entrando nas propriedades à sua vontade, saindo a seu gosto, vagando pelos arredores, agindo de um lado e de outro, e em intervalos muito irregulares, ele realmente parecia ser o gênio malfeitor da região.

Certa tarde, Raul, cujos instintos o levavam frequentemente ao casebre da dona Vauchel, chamou as duas irmãs. Ao examinar um conjunto de tábuas colocadas umas contra as outras e encostadas ao tronco de uma árvore, ele havia descoberto uma porta velha, rachada e demolida, sobre a qual fora traçado um desenho a giz, de forma grosseira, por uma mão desajeitada.

– Aqui – disse ele –, eis o nosso homem, são as linhas de seu chapéu... aquela espécie de *sombrero* fora de moda, que dizem que ele usa.

– Isso é impressionante! – murmurou Catherine. – Quem poderia ter feito isso?

– O filho, Vauchel. Ele se divertia rabiscando em blocos de papel ou pedaços de papelão. Nenhuma arte, a propósito: era mesmo uma coisa rudimentar. E então tudo se encaixa. A cabana Vauchel estava no centro das maquinações. Nosso homem e o senhor Guercin podem ter-se encontrado lá. Foi aqui que um ou dois lenhadores de passagem foram contratados pelo filho Vauchel para mover os três salgueiros. A mãe, já meio louca, testemunhava as conspirações. Ela adivinhava o que não compreendia, interpretando, imaginando, digerindo tudo isso em seu pobre cérebro, e foi isso que ela expressou mais tarde diante de você, Catherine, em sentenças inacabadas e incoerentes, nas quais havia aquelas ameaças que tanto a assustavam.

No dia seguinte Raul descobriu mais uma meia dúzia de esboços: o contorno dos três salgueiros, as rochas, o pombal, duas silhuetas do chapéu, e um emaranhado de linhas nas quais se podia discernir a forma de um revólver.

E Catherine lembrou-se de que o filho Vauchel, que era muito hábil com as mãos, costumava antigamente vir ao casarão, como sua mãe; e, sob a direção do senhor Montessieux, fazia ocasionalmente trabalhos de carpintaria ou serralheria.

– Bem – concluiu Raul –, das cinco pessoas que acabamos de mencionar, quatro estão mortas: os senhores Montessieux e Guercin, a mãe e o filho Vauchel. Resta apenas o homem da cartola, e somente sua captura pode desvendar a situação.

De fato, essa figura sombria dominava todo o drama. Parecia, a cada momento, que ele ia surgir dentre as árvores, ou debaixo da terra, ou do próprio leito do rio. Na curva dos caminhos, assim como no raso dos gramados ou no topo das árvores, flutuava um fantasma que um olhar mais atento dissipava imediatamente.

Catherine e Bertrande estavam ainda mais nervosas. Uma e outra se apressavam na direção de Raul como se estivessem se abrigando do perigo. Às vezes ele pressentia que havia um desacordo entre elas; silêncios incômodos, abraços repentinos, medos que ele acalmava com palavras e gestos afetuosos, mas que logo depois ressurgiam, sem nenhuma razão clara. De onde vinha esse desequilíbrio? O medo do fantasma era suficiente para explicar isso? Estariam elas sob uma influência desconhecida para ele? Estariam lutando contra forças ocultas? Conheceriam segredos que se recusavam a revelar?

A data da partida estava se aproximando. Lindos dias se sucediam no fim de agosto. Após o jantar, eles gostavam de ficar do lado de fora, no terraço. Béchoux não era visto, mas podia ser percebido não muito longe da casa, fumando na companhia da bela Charlotte, enquanto o senhor Arnold terminava seu trabalho tranquilamente.

Por volta das onze horas eles se separavam. Então Raul fazia uma ronda furtiva pelo jardim e, pegando o barco, subia o curso do rio e permanecia no mirante, com os ouvidos atentos.

Certa noite, o tempo estava tão bonito que as duas irmãs quiseram se juntar a ele. O barco deslizava sem ruído, com pequenos golpes dos remos que, com um frio murmúrio, faziam deslizar as gotas de água.

O céu estrelado derramava um brilho difuso, e a luz da lua nascente, que se elevava em algum lugar na bruma do horizonte, foi aos poucos tornando-se mais clara.

Eles permaneciam em silêncio.

No ponto mais raso do canal, os remos não podiam ser estendidos, de modo que dificilmente se moviam. Em seguida a maré começou um redemoinho, e eles navegaram suavemente e balançaram de uma margem para a outra.

Raul pousou suas mãos sobre as mãos das duas moças e sussurrou:

– Ouçam.

Elas não perceberam nada, mas sentiram uma certa opressão, como se estivessem se aproximando de um perigo que não fora anunciado, nem no sopro da brisa, nem na calmaria da natureza. Raul as abraçou com força. Ele, Raul, deveria ouvir o que elas não ouviam, e saber que há silêncios carregados de ameaças. O inimigo, se estivesse em uma emboscada, podia vê-los; e era impossível escrutar as encostas, que de ambos os lados ofereciam tantos esconderijos invisíveis.

– Vamos sair daqui – disse ele, espetando um dos remos no aterro da margem.

Era tarde demais. Alguma coisa caiu do alto, vinda de cima do penhasco; algo que despencou com força e, no espaço de três ou quatro segundos, afundou no rio. Se Raul não tivesse segurado os remos na mão, e se não tivesse tido a habilidade de fazer uma pirueta com o barco, um pedaço de rocha teria esmagado a proa. Um borrifo de água, no máximo, foi o que caiu sobre eles.

Raul saltou para a encosta. Com seu olhar aguçado, ele tinha visto, entre as pedras e os pinheiros do cume, a forma de um chapéu enorme. A cabeça surgiu por um segundo, depois desapareceu. O homem pensou que estava seguro em seu covil. Com incrível velocidade, Raul escalou a parede quase vertical, com a ajuda das samambaias e agarrando-se às bordas ásperas. O inimigo deve tê-lo ouvido apenas no último momento, pois se ergueu e abaixou novamente, e Raul viu apenas o chão batido coberto pela sombra das árvores.

Ele se orientou por um momento, hesitou, e em seguida deu um salto prodigioso, caindo sobre uma massa negra, imóvel, que parecia uma elevação da terra. Era o homem. Estava apanhado.

Ele o prendeu pela cintura e gritou:

– Seu maldito! Não pode fazer nada entre minhas garras. Ah, seu cretino, vamos nos divertir!

O homem escorregou, como se houvesse uma ranhura no chão, e rastejou por alguns metros, sempre agarrado firmemente pelos quadris. Raul o insultava e zombava dele. No entanto, Raul teve a impressão de que sua presa, na sombra espessa onde se ocultava, estava derretendo, por assim dizer, em suas mãos. Afundava-se entre duas grandes pedras, e Raul o segurava com menos força; suas mãos estavam feridas pela aspereza, e seus braços cada vez mais unidos.

Sim, sim, ele estava afundando! Era como se ele estivesse entrando na terra, encolhendo a cada segundo, ficando menor e mais esquivo. Raul grunhia e gritava. Mas o homem se alongava, afinava, girava entre seus dedos cerrados, e chegou um momento em que Raul não tinha mais nada para segurar. Tudo tinha desaparecido. Por qual milagre? Em que refúgio impenetrável? Ele escutou. Não havia som, exceto o chamado das duas jovens que o esperavam junto ao barco, ansiosas e trêmulas.

Juntou-se a elas.

– Ninguém – disse ele, sem confessar a derrota.

– Mas você o viu?

– Eu pensei tê-lo visto. Mas debaixo das árvores, e entre todas essas sombras, não dá para afirmar.

Ele as levou depressa para o casarão, e correu para o jardim.

Estava furioso, furioso com aquele homem e consigo mesmo. Ele contornou os muros, observando certas saídas pelas quais sabia que era possível escapar. De repente, correu para a frente, em direção à estufa em ruínas. Havia um vulto que se agitava, como se estivesse ajoelhado... pareciam mesmo dois vultos.

Atirou-se sobre eles. O segundo fugiu. Raul agarrou o primeiro, e rolou pelo gramado com ele, gritando:

– Ah, desta vez eu peguei você! Peguei você!

Uma voz fraca lamentou.

– Ah! Mas o que você está fazendo? Pode me deixar em paz?

Era a voz de Béchoux.

Raul ficou exasperado.

– Desgraça! Você não deveria estar na cama a esta hora? Seu triplo imbecil, com quem você estava?

Foi a vez de Béchoux ter um ataque de raiva e atirar-se contra Raul. Sacudindo-o com uma força irresistível, ele grunhia:

– Imbecil é você! Por que está se intrometendo? Por que você nos perturbou?

– Vocês, quem?

– Era *ela,* caramba! Eu estava prestes a beijá-la! Ela tinha perdido a cabeça, pela primeira vez... Eu ia beijá-la, e então você apareceu! Estúpido! Idiota!

Apesar de sua fúria, apesar de seus contratempos, finalmente compreendendo a cena de sedução que havia interrompido, Raul começou a rir, uma risada louca, que o dobrava ao meio.

– A cozinheira! A cozinheira!... Béchoux ia beijar a cozinheira! E eu interrompi essa pequena cerimônia... Ai, meu Deus, que engraçado! Béchoux ia beijar a cozinheira! Seu *Don Juan*!

PRESO NA ARMADILHA

Após algumas horas de sono, Raul d'Avenac saltou da cama, vestiu-se e foi até as rochas do desfiladeiro. Para reconhecer o lugar onde a luta havia ocorrido, ele havia deixado ali seu lenço.

Ele não o encontrou no mesmo lugar, mas um pouco mais adiante, amarrado duas vezes (embora tivesse certeza de que não tinha feito nenhum nó) e preso no tronco de um abeto pela ponta de uma adaga.

"Ora, ora", disse para si mesmo, "ele está declarando guerra contra mim. Portanto, ele tem medo de mim. Melhor ainda! Mesmo assim, o senhor X tem audácia... E que habilidade de deslizar pelas minhas mãos como uma enguia!"

Isso era o que mais intrigava d'Avenac. E o resultado de suas observações o intrigou ainda mais. A saída pela qual seu adversário havia escapado era uma fissura natural, uma espécie de falha, como várias que haviam no monte de granito. Esta, escavada entre duas pedras, tinha no máximo sessenta a oitenta centímetros de profundidade; mas era comprida e, acima de tudo, extremamente estreita. Em sua parte inferior, terminava em uma espécie de garganta, tão estreita que não se podia imaginar como o homem teria passado por ela – e como ele teria passado por ela com um chapéu certamente mais largo que seus ombros, e com aqueles calçados grosseiros como tamancos. Mas foi assim que aconteceu. Não havia outra saída.

E a capacidade de se esticar, provada em sua incrível fuga, combinava bem com a impressão de afinamento e fluidez que Raul tivera ao senti-lo dissolver-se, por assim dizer, entre seus dedos.

Catherine e Bertrande se juntaram a ele, ainda muito abaladas com o incidente da noite, com os rostos cansados de insônia. Ambas imploraram a Raul que a data da partida fosse antecipada.

– Por quê? – ele gritou. – Por causa daquele pedaço de rocha?

– Obviamente – respondeu Bertrande. – Aquilo foi um atentado.

– Nenhum atentado, eu juro. Acabo de examinar o local, e posso dizer que aquela pedra se desprendeu sozinha. Portanto, foi um infeliz acidente, e não mais.

– Entretanto, se você correu até o alto, é porque pensou ter visto...

– Não pensei ter visto nada – disse ele. – Eu queria ver se havia alguém lá, e se a queda não tinha sido provocada artificialmente. Minhas buscas desta noite e desta manhã não me deixam dúvidas a respeito disso. Ademais, para preparar a queda de tamanho bloco é preciso tempo. Ninguém poderia suspeitar que vocês fariam aquele passeio noturno, o qual, vocês sabem, foi decidido no último momento.

– Não, mas nós sabíamos que você fazia isso, havia várias noites. Não somos nós que estamos sendo atacadas, e sim você, Raul.

– Não se atormentem por minha causa – disse Raul, rindo.

– Mas sim! Claro que sim! Você não tem o direito de se expor, e nós não queremos que faça isso.

Ambas estavam assustadas, e às vezes uma ou outra, enquanto caminhavam pelo jardim, segurava seu braço e implorava.

– Deixe-nos ir embora! Tenha certeza de que não temos prazer em ficar. Estamos com medo. Só vemos armadilhas ao nosso redor... Deixe-nos ir. E por que razão você não quer partir também?

Ao final, ele respondeu:

– Por quê? Porque a aventura está prestes a ser desvendada, a data está irrevogavelmente fixada, e vocês devem saber como o senhor Guercin morreu, e de onde vem o ouro de seu avô. Não é esse o desejo de vocês?

– Certamente – disse Bertrande. – Mas não é somente aqui que você pode descobrir.

– Somente aqui e nas datas estabelecidas, que são 12, 13 ou 14 de setembro.

– Definidas por quem? Por você? Ou pelo outro?

– Nem por mim, nem por ele.

– E então?

– Pelo destino, e o próprio destino não pode mudá-las.

– Mas se está tão convicto disso, como é que o problema permanece obscuro para você?

– Não está mais – declarou ele, pronunciando as palavras com uma convicção verdadeiramente surpreendente. – Exceto por alguns pontos, a verdade está clara para mim.

– Nesse caso, então aja logo.

– Só posso agir nas datas fixadas, e somente nessas datas que serei capaz de capturar o senhor X e encontrar para vocês um monte de ouro em pó.

Ele profetizava com o tom alegre de um feiticeiro, que se divertia em ser intrigante e confuso. E propôs a elas:

– Hoje é 4 de setembro. Só faltam mais seis ou sete dias. Esperem um pouco, sim? E sem pensar mais em todas essas coisas irritantes, vamos aproveitar esta última semana no campo.

Elas aguardaram. Mas passavam horas de febre e ansiedade. As duas brigavam às vezes, sem nenhuma razão aparente. Elas permaneciam, aos olhos de Raul, incompreensíveis, extravagantes e, por isso mesmo, mais atraentes. Mas elas não podiam abandonar uma à outra e, acima de tudo, não abandonavam Raul.

Portanto, aqueles poucos dias foram encantadores. Enquanto esperavam por uma luta cujo resultado tentavam adivinhar e se perguntavam se ela aconteceria antes ou depois da partida delas, elas conseguiam, sob a influência de Raul, relaxar e aproveitar deliciosamente a vida. Riam de tudo o que ele dizia, leves ou circunspectas, ardentes ou indiferentes, e se deixavam levar por ele com impulsos cuja espontaneidade ele apreciava.

Às vezes, no meio de suas efusões amigáveis, ele se questionava alegremente e sem ir muito ao fundo de si mesmo. "Eu as amo cada vez mais, minhas lindas amigas. Mas qual das duas eu amo mais? No início era Catherine. Ela me comovia, e eu me dedicava a ela, sem me importar com o que lhe aconteceria. Mas agora Bertrande, mais feminina e mais sedutora, está me perturbando. Na verdade, estou perdendo a cabeça."

No final, talvez ele amasse as duas, e ao amá-las – uma tão pura e ingênua, a outra tão atormentada e complexa – talvez amasse apenas uma e a mesma mulher, que era, em duas formas diferentes, a mulher da aventura à qual ele dedicava todas as suas forças e todos os seus pensamentos.

Assim se passaram os dias 5, 6, 7, 8 e 9 de setembro. Com a aproximação da data, Bertrande e Catherine se tornaram mais controladas, até que passaram a compartilhar da serenidade de Raul. Elas preparavam suas bagagens, enquanto o senhor Arnold e Charlotte arrumavam o casarão.

Théodore Béchoux, muito prestativo, não hesitou em dar uma mãozinha a Charlotte. Ela teve de ir visitar sua família por uma semana, e Béchoux quis acompanhá-la. Assim que ele anunciou que pegaria o trem, Raul chamou as irmãs para um passeio de carro ao redor da Bretanha. Durante esse tempo, o criado colocaria em ordem o apartamento de Paris.

No dia 10 de setembro, após o almoço, Bertrande deixou o casarão e foi até o vilarejo para pagar as contas dos fornecedores. Quando voltou, ela viu Raul pescando no barco, e vinte metros mais adiante, na entrada da ponte, Catherine, que o observava.

Ela se sentou vinte metros antes do barco e olhou para ele, como fazia sua irmã. Raul estava inclinado sobre a água, e parecia não se importar com a oscilação. Estaria ele assistindo a algum espetáculo no fundo do rio? Ou seguia algum pensamento dentro de si mesmo?

Raul deve ter sentido que estava sendo observado, pois virou a cabeça para Catherine, a quem sorriu, e depois para Bertrande, a quem sorriu igualmente. Elas entraram no barco.

– Você estava pensando em nós, não estava? – perguntou uma delas, rindo.

– Sim – disse ele.

– Em qual delas?

– Nas duas. Eu realmente não posso separar uma da outra. Como eu viveria sem vocês duas?

– Ainda devemos partir amanhã?

– Sim, amanhã de manhã, 11 de setembro. Foi a minha recompensa, esta pequena viagem à Bretanha.

– Estamos partindo... mas nada está resolvido – disse Bertrande.

– Tudo está resolvido – disse ele.

Houve um longo silêncio. Raul não pescava nada, e não tinha esperança de capturar nada, até porque o rio era desprovido do menor peixe. Mesmo assim, os três contemplavam os movimentos da vara de pescar. De tempos em tempos eles trocavam uma frase, e o crepúsculo os surpreendia nessa intimidade feliz.

– Vou dar uma olhada no meu carro – disse Raul. – Vocês querem vir comigo?

Seguiram até o galpão onde ele guardava o carro, não muito longe da igreja. Tudo estava bem. O motor estava funcionando com um ronco regular.

Às sete horas Raul deixou Bertrande e Catherine, dizendo-lhes que viria buscá-las no dia seguinte por volta das dez e meia, e que atravessariam o Sena na balsa de Quillebeuf. Depois ele se juntou a Béchoux em seu chalé, onde, por conveniência, eles passariam essa última noite.

Após o jantar, cada um foi para seu quarto. Logo Béchoux estava roncando.

Então Raul saiu de casa, tirou de debaixo do telhado de colmo uma escada suspensa por dois ganchos, levou-a para longe, seguiu o caminho que percorria o lado direito dos muros de Barre-y-va, virou para cima, à esquerda, e escalou o muro. Quando chegou ao topo, na sombra espessa de uma árvore cujos galhos caíam ao seu redor e o escondiam, ele deixou a escada deslizar por meio de uma corda e a escondeu no mato.

Durante meia hora, ele permaneceu na árvore. Dali, podia ver o parque inteiro, sob uma lua cintilante que lançava uma calma luz branca, parecia cortar a escuridão e banhar-se na água prateada do rio.

Ao longe, as luzes do casarão, uma a uma, se apagaram. O relógio de Radicâtel bateu as dez horas.

Raul vigiava. Ele não acreditava que o menor perigo ameaçasse as duas mulheres, mas não queria deixar nada ao acaso. Mesmo supondo que nenhuma emboscada tivesse sido armada, o inimigo poderia rondar, prosseguir com seus preparativos, aproximar-se do objetivo que ele pensava já ter alcançado, e certificar-se de que ele mesmo não fosse vigiado.

De repente, Raul estremeceu. O evento provaria que ele tinha razão em esperar, e ele surpreenderia alguma manobra? A cinquenta passos dele, no caminho que havia seguido, não muito longe da pequena porta pela qual Catherine havia passado na primeira manhã, ele viu uma forma imóvel, presa contra o tronco de uma árvore, mas que não parecia fazer parte dela. De fato, ela se balançou várias vezes, depois foi diminuindo de altura, até descer ao chão. Se Raul não tivesse testemunhado esse movimento imperceptível, nunca teria diferenciado aquela sombra alongada da sombra de um teixo alto, e que começou a rastejar na própria linha da escuridão.

Assim, a sombra chegou ao monte que se formava ao redor e acima da estufa demolida – um caos de pedras, grama e arbustos, onde se delineava uma passagem por uma curva esbranquiçada. Aos poucos a sombra se ergueu, foi se arrastando pelo chão, e depois desapareceu na mata.

Raul, imediatamente, certo de não ser visto, saltou de sua árvore e começou a correr, escolhendo os lugares onde a luz da lua não chegava. Seus olhos não se despregavam do ponto mais alto das ruínas. Alguns minutos foram suficientes para que ele chegasse à base. Ali, sem tomar mais precauções, ele entrou na passagem aberta entre as pedras e subiu pela trilha sinuosa.

Com o revólver na mão, muito desconfiado, ele atingiu o topo e olhou em volta. Não percebendo nada suspeito, pensou que o inimigo estava descendo a outra encosta, e deu mais três passos.

Ele hesitou por um segundo ou dois. Momentos de demasiada calma, em que a grande impassibilidade das folhas e gramíneas parecia uma ameaça. Ele seguiu em frente, porém, com todos os sentidos em alerta; e de repente sentiu galhos rachando sob seus pés, e uma fenda que se abria no meio dos escombros.

Raul caiu no vazio e, sem dúvida, sua queda tinha sido planejada de tal forma que recebeu um tremendo golpe na altura do peito, o que o impediu de ficar de pé, fê-lo perder o equilíbrio e cair como uma massa inerte. De imediato foi envolto em uma espécie de cobertor, enrolado e amarrado antes de ter tempo de se recuperar e fazer qualquer tentativa de resistência.

Tudo isso foi executado com extraordinária rapidez e, até onde pôde avaliar, por um único agressor. Não menos rápido foi o resto da operação: mais cordas foram amarradas, com pontos de fixação firmemente estabelecidos – estacas, postes de ferro ou escombros cimentados. Então, ouviu um deslizamento de areia e pedras precipitadas do alto sobre ele.

E depois, mais nada: o silêncio, a escuridão, o peso de uma pedra tumular. Raul estava enterrado.

Ele não era um homem que se entregava e logo abandonava em si mesmo a noção de esperança. Em todo caso, sem desconsiderar a gravidade da situação, ele viu primeiro o lado bom. E disse a si mesmo imediatamente que, afinal de contas, poderia ter sido morto, e não tinha sido. Teria sido tão fácil! Uma facada, e o obstáculo invencível que ele constituía para seu adversário teria sido eliminado. Se não tinha sido morto, era porque sua supressão não era indispensável, e porque o inimigo se contentava em reduzi-lo à impotência durante os poucos dias que a tarefa planejada exigia.

E essa hipótese estava de acordo com o que Raul já sabia.

No entanto, o inimigo não recuava diante da solução do crime. Ele deixava isso a cargo do destino. Se Raul sucumbisse, tanto pior para ele.

"Eu não sucumbirei", dizia Raul para si mesmo. "O mais importante é que eu não tenho outro ataque a temer."

E desde o início, com o instinto de tomar a melhor posição possível, ele havia se esticado com todas as suas forças para flexionar um pouco os joelhos, endurecer os braços e inflar o peito. Dessa maneira, conseguiu alguma liberdade de movimento e espaço para respirar. Por outro lado, estava exatamente ciente do local onde estava. Várias vezes, de fato, ao se arrastar sob os escombros da estufa, em busca dos abrigos onde o homem da cartola podia se esconder, ele havia notado esse buraco, não muito longe da antiga entrada.

Assim, havia duas esperanças de salvação: por cima, através dos tijolos, pedras, areia e ferro desmoronado; ou por baixo, no próprio chão onde a estufa havia sido construída. Mas, para tentar escapar, era preciso se mexer. E essa talvez fosse a dificuldade insuperável, pois as cordas estavam tão atadas que, ao mínimo esforço, aumentavam seu aperto.

No entanto, ele se esforçava ao máximo para se torcer e se libertar daquele lugar. Ao mesmo tempo, o curso de seus pensamentos prosseguia. Ele imaginava todas as fases da emboscada, a vigilância exercida sobre todas as suas ações, a maneira como tinha sido avistado no topo do muro, sob os galhos da árvore, e a maneira inteligente como o adversário o tinha atraído para a armadilha.

É curioso que, apesar do cobertor que o envolvia, e apesar da muralha de entulhos ao seu redor, ele podia ouvir, não de forma confusa, mas com uma clareza incrível, os ruídos vindos de fora, ou pelo menos todos os ruídos que se elevavam do lado do Sena, e apenas daquele lado. Eles eram trazidos, sem dúvida, por alguma abertura que permanecia aberta entre os escombros ao longo do chão, e que formava, na direção do rio, uma espécie de chaminé quase horizontal.

Assim, as sirenes do navio ecoavam. Buzinas de carro soavam na estrada. O sino de Radicâtel tocou onze vezes, e a última batida ainda não havia soado quando ele ouviu os primeiros roncos de um motor sendo ligado, e era o do seu próprio carro. Ele o reconheceu. Tê-lo-ia reconhecido entre mil.

E foi o seu motor que partiu, que virou em direção à vila, tomou a estrada principal e, a uma velocidade crescente, seguiu em direção a Lillebonne.

Mas Lillebonne era o objetivo? O inimigo, pois só podia ser ele, não iria para Rouen, nem para Paris? E por quê?

Um pouco cansado de seu duro esforço para libertação, ele descansou e pensou. Basicamente, a situação era a seguinte: no dia seguinte, 11 de setembro, às dez e meia da manhã, ele deveria vir ao casarão para buscar Catherine e Bertrande. Assim, entre as dez e meia e onze horas, nada de anormal. Catherine e Bertrande não se preocupariam, não procurariam por ele. Mas e depois disso? Durante o dia, será que o seu desaparecimento, tão óbvio, não provocaria investigações que poderiam salvá-lo?

Em todo caso, o inimigo devia ter previsto que as duas jovens permaneceriam em Barre-y-va e esperariam. Mas essa era a falha de todo o plano, pois o inimigo supunha que teria absoluta liberdade de ação. No final das contas, era necessário que as duas mulheres fossem embora. O meio? Apenas um. Chamá-las até Paris. Por carta, elas reconheceriam a caligrafia. Mas um telegrama... um telegrama, assinado por Raul, dizendo-lhes que ele teve que partir de repente, e ordenando-lhes que pegassem o trem assim que recebessem a mensagem.

"E como elas poderiam não obedecer?", pensou Raul. "A medida pareceria tão lógica para elas! E por nada neste mundo elas permaneceriam em Barre-y-va sem minha proteção."

Ele trabalhou durante parte da noite; tentou dormir um pouco, embora tivesse alguma dificuldade para respirar, e depois começou a trabalhar novamente. Achava que estava progredindo em direção à saída, mas não tinha certeza, pois os sons de fora chegavam-lhe com mais clareza. Mas em quantos centímetros consistia esse avanço, obtido à custa de tantos problemas e por pequenos movimentos do corpo?

Quanto aos laços, eles não se moveram. Somente as cordas presas aos pontos de fixação, como amarras, talvez estivessem se soltando um pouco.

Por volta das seis horas da manhã ele pensou ter reconhecido o ronco familiar de seu carro. Sem dúvida foi um engano. O ruído parou bem antes do Radicâtel. Além disso, por que o inimigo traria o caro de volta, se sua presença poderia comprometer o efeito do telegrama?

A manhã passou. Ao meio-dia, embora ele não tivesse percebido nenhum ruído de veículo, supôs que as duas irmãs haviam deixado Radicâtel assim que receberam o recado, para pegar o trem em Lillebonne.

Ao contrário de suas previsões, por volta da uma hora, quando o relógio da igreja continuava a informá-lo regularmente, ele ouviu uma voz gritando, não muito distante dele:

– Raul! Raul!

Era a voz de Catherine.

E a voz de Bertrande também gritou:

– Raul! Raul!

Ele gritou os dois nomes, por sua vez. Nada.

Mais chamados foram feitos pelas duas jovens mulheres, mas eram ouvidos cada vez mais longe. E, mais uma vez, o silêncio.

A VINGANÇA

"Eu estava enganado", pensou Raul. "Elas não receberam nenhum telegrama pedindo que fossem ao meu encontro em Paris e, surpresas com meu desaparecimento, estão me procurando."

De imediato ele teve a ideia de que as investigações não seriam em vão, e que Béchoux em particular, um especialista na matéria, seria facilmente bem-sucedido. Afinal, a propriedade tinha dimensões limitadas, e os esconderijos onde poderia ter sido enterrado – assumindo que eles pensariam que ele estivesse morto ou ferido – não eram tão numerosos. As rochas do desfiladeiro, o Butte-aux-Romains, as ruínas da estufa, dois ou três outros lugares que talvez todos conhecessem, e que ele havia inspecionado frequentemente com Béchoux, além do rio, o alojamento de caça e o casarão – onde poderia ter sido escondido um cadáver?

Mas as horas se passavam, e a esperança de Raul diminuía. "Béchoux", disse a si mesmo, "não está em boa forma no momento. Por mais que ele tente me encontrar, o amor tirou parte de suas forças. E então, sem dúvida, ele está se afastando com as duas jovens e os dois criados, para fora do jardim, em direção às colinas próximas, em direção ao pequeno bosque, em direção ao Sena... E então... então... quem sabe... talvez eles não tenham pensado na hipótese de um crime. Eles podem acreditar que eu parti por alguma razão convincente, sem ter tido tempo de avisá-los, e que estou fazendo uma expedição preliminar. E eles estão esperando por mim!"

De fato, o dia terminou sem mais chamados. Nenhum som chegava até ele, a não ser o barulho dos barcos e automóveis.

As horas também continuaram a bater. E quando soaram às dez da noite, ele pensou que Catherine e Bertrande não estavam mais protegidas por ele, e que, com o início da noite, elas deviam estar tremendo de medo.

Ele redobrou seus esforços. As cordas estavam se afrouxando, e os pontos de fixação tinham finalmente cedido, para que pudesse se mover mais rapidamente rumo à saída que imaginava. Ele respirava melhor através do tecido bastante fofo do cobertor. Mas a fome, mesmo que não o fizesse sofrer, tornava seu trabalho mais árduo e menos eficiente.

Raul adormeceu. Um sono febril, cortado por pesadelos que o despertavam em sobressalto... um sono do qual ele acordava de repente, gritando de angústia, sem saber por quê.

"Eh, eh!", disse ele em voz alta, a fim de recuperar seu equilíbrio, "será que meu cérebro vai sucumbir por causa de dois dias miseráveis de fadiga e jejum?"

Soavam às sete horas. Era a manhã de 12 de setembro, o primeiro dos dias fatídicos que ele havia predito. Tudo indicava que o inimigo venceria a batalha.

Essa ideia o chicoteou com uma energia em que havia raiva e exasperação. A batalha ganha pelo outro seria a derrota e a ruína das irmãs, o grande segredo roubado, a impunidade do culpado... e seria a sua própria morte. Se quisesse vencer e não morrer, tinha que levantar a pedra do túmulo e fugir.

Ele sentia, pela pureza do ar que respirava, que a saída não estava longe. Uma vez lá fora, ele chamaria, eles viriam, estaria salvo.

Fez, então, um esforço supremo. Talvez estivesse prestes a sair quando de repente sentiu como se estivesse ocorrendo um cataclismo ao seu redor. Todo o montículo, que ele cavava com todas as forças, com sua cabeça, ombros, cotovelos, joelhos e pés, desabou. Foram suas manobras que causaram o desabamento? Foi o inimigo que, observando e notando o progresso do seu caminho em direção à saída, havia demolido o frágil monte com um golpe da picareta? Raul sentiu-se esmagado por todos os lados, sufocado, perdido.

Ele resistiu. Dobrou-se novamente. Prendeu a respiração e poupou o ar que lhe restava. Mas mal conseguia levantar o peito e respirar sob o peso que o oprimia.

Pensou novamente:

– Tenho só quinze minutos… Se, em quinze minutos…

Ele contou os segundos. Mas logo suas têmporas começaram a latejar, os pensamentos se agitaram em delírio, e ele não sabia mais o que estava acontecendo.

Acordou em sua cama, no antigo quarto que tinha ocupado no casarão. Quando abriu os olhos, descobriu que estava completamente vestido, que Catherine e Bertrande o olhavam ansiosamente e que o relógio marcava sete e quarenta e cinco. Ele sussurrou:

– Quinze minutos… não mais, certo? Caso contrário…

Ele ouviu a voz de Béchoux, que ordenava:

– Rápido, Arnold, corra para o alojamento e traga a mala dele de volta. Charlotte, uma xícara de chá e biscoitos, e rápido, sim?

E, voltando-se para a cama, Béchoux lhe disse:

– Você precisa comer, meu velho... não muito... mas você precisa... Oh, meu Deus, você nos deu um susto! O que aconteceu?

Catherine e Bertrande, com o ar sofrido, estavam chorando. Cada uma delas pegou uma de suas mãos.

Bertrande murmurou:

– Não responda, não fale nada, você deve estar sem forças. Oh, como nós tivemos medo! Nós não compreendemos seu desaparecimento. Diga-nos... não, não diga nada... descanse...

Elas se calaram. Mas ambas estavam em tal estado de agitação que faziam novas perguntas, que imediatamente o proibiam de responder. O mesmo se aplicava a Béchoux, a quem os perigos vividos por Raul pareciam ter abalado completamente. Ele lançava palavras incoerentes, e se interrompia para gritar ordens absurdas.

Depois que Raul bebeu sua xícara de chá e comeu alguns biscoitos, um pouco confortado, ele murmurou:

– Enviaram um telegrama de Paris, não foi?

– Sim – disse Béchoux –, era você, pedindo para nos juntarmos a você no primeiro trem. Um encontro em sua casa.

– E por que vocês não foram?

– Eu queria. *Elas* não queriam.

– Por quê?

– Elas arriscaram – disse Béchoux. – Eles não acreditavam que você pudesse deixá-las assim. Então procuramos... principalmente lá fora, no bosque. E depois ficamos desorientados. Você não tinha ido embora? Nós não sabíamos. E as horas se passaram. Nós não dormimos mais.

– Você não chamou a polícia?

– Não.

– Esse é o espírito. E como me encontraram?

– Foi a Charlotte. Esta manhã ela saiu gritando pela casa: "A velha estufa está se mexendo... Eu vi da minha janela". Então nós corremos... fizemos uma abertura...

Raul disse calmamente:

– Obrigado, Charlotte.

Depois, ao ser questionado sobre seus planos, ele conseguiu articular com uma voz mais firme:

– Dormir primeiro, e depois partir... Vamos para Le Havre... por alguns dias... O ar marinho vai me fazer bem.

Todos o deixaram. As persianas foram fechadas, as portas trancadas. Ele adormeceu.

Quando ele chamou, por volta das duas da tarde, e Bertrande entrou na sala, ela o encontrou deitado em uma poltrona, com aspecto melhor, o rosto barbeado e vestido com roupas limpas. Ela o olhou por um momento com um ar de encantamento, depois foi até ele e, singelamente, beijou-o na testa. Depois ela beijou suas mãos, e as lágrimas se misturavam com os beijos.

Charlotte serviu a todos no quarto de Raul. Ele comeu pouco. Parecia muito cansado, e estava ansioso para deixar o casarão, como se as lembranças do sofrimento o assombrassem.

Béchoux teve de apoiá-lo, quase carregá-lo para dentro do carro. Eles o colocaram atrás. Béchoux assumiu o volante e dirigiu o melhor que pôde. Arnold e Charlotte deveriam pegar o trem noturno para Paris.

Em Le Havre, Raul não quis, por razões que não explicou, que as malas fossem retiradas e que todos se instalassem em um hotel. Ele foi levado para a praia de Sainte-Adresse e esticado na areia, onde permaneceu o dia todo, sem dizer uma palavra, respirando a plenos pulmões o vento fresco que subia pouco a pouco.

Assim que o sol se pôs entre as longas nuvens cor-de-rosa que revestiam o céu, e quando a última chama se extinguiu no horizonte, as duas irmãs e Béchoux testemunharam o espetáculo mais inesperado. Raul d'Avenac subitamente se levantou, no canto deserto da praia onde os quatro estavam, e começou uma dança desengonçada, composta dos mais variados passos e gestos, e acompanhada de pequenos gritos agudos, como os das gaivotas que balançavam sobre a água.

– Ora, você é louco! – exclamou Béchoux.

Raul agarrou-o pela cintura, rodopiou-o, depois ergueu-o do chão e suspendeu-o no ar.

Catherine e Bertrande riam e se perguntavam: de onde vinha essa força repentina dele que parecia, desde a manhã, exausto pela dura provação?

– E então? – disse ele, abraçando-os. – Pensaram que eu ia ficar em coma por dias a fio? O pior já passou. Foi ali mesmo no casarão, depois da minha xícara de chá e duas horas de sono. Vocês pensam, meus lindos amigos, que eu vou perder meu tempo fazendo o papel de coitadinho? Vamos à luta! Mas primeiro vamos comer. Estou com tanta fome!

Ele levou os três a uma famosa taberna, onde fez uma refeição digna de Gargântua, e eles nunca o haviam visto tão cheio de entusiasmo. O próprio Béchoux ficou surpreso.

– Você rejuvenesceu no túmulo – exclamou ele.

– Você tem que deixar de ser mole, meu velho Béchoux – disse Raul. – É verdade, durante toda esta crise, você tem feito um papelão. Até dirigindo o carro, que bagunça você fez! Eu fiquei tremendo de medo. Você quer que eu te dê umas aulas?

A noite tinha chegado quando eles voltaram para o carro. Desta vez Raul assumiu o volante, e mandou Béchoux sentar-se ao seu lado, com as duas irmãs na parte de trás.

– E, acima de tudo – disse ele –, não tenhamos medo! Preciso me esticar, e quanto mais longe formos, melhor.

Na verdade, o carro parecia voar e rapidamente saltou ao longo das ruas empedradas e pela estrada que leva a Harfleur. Uma longa colina se nivelou diante deles e no planalto do Cauchois passaram sob uma tromba d'água. Eles atravessaram a cidade de Saint-Romain e tomaram o rumo de Lillebonne.

Às vezes Raul cantarolava uma canção de triunfo ou então zombava de Béchoux.

– E aí, meu velho, está surpreso? Nada mal para um moribundo. É assim, Béchoux, que um cavalheiro dirige. Parece que você está com medo! Catherine! Bertrande! Béchoux está assustado. Nesse caso, melhor parar, o que vocês acham?

Ele virou para a direita, antes de começar a longa descida para Lillebonne, e foi em direção a uma igreja cujo campanário brilhava sob a lua e no meio das nuvens.

– Saint Jean-de-Folleville, vocês conhecem aquela aldeia, não conhecem, Bertrande e Catherine? Vinte minutos a pé de Barre-y-va. Eu preferia ter vindo por cima, para que ninguém nos ouvisse chegando pela estrada do Sena.

– Quem? – perguntou Béchoux.

– Você vai ver, gordinho.

Raul estacionou o carro ao longo de um aterro agrícola, e eles seguiram pela estrada rural que leva ao castelo e à aldeia de Basmes, à floresta da dona Vauchel e ao vale de Radicâtel. Caminhavam lentamente, com cuidado. O vento soprava, e nuvens finas faziam um véu em torno da lua.

Chegaram ao topo do elevado, não muito longe do mato onde Raul, no dia anterior, havia escondido a escada. Ele a encontrou novamente, encostou-a na parede, subiu e observou o parque. Então, chamou o grupo.

– Há dois deles trabalhando – disse-lhes em voz baixa. – Não estou muito surpreso.

Os outros, por sua vez, subiram, bastante ansiosos para ver, e enfiaram a cabeça.

Duas sombras, de fato, estavam em ambos os lados do rio, perto do pombal: uma na ilha, a outra na margem do parque. Elas não se moviam, nem pareciam se esconder. O que estavam fazendo? Que tarefa misteriosa estavam realizando?

Uma leve bruma chegava até as nuvens, e não se podia reconhecer os dois seres, se é que já não eram conhecidos. Suas silhuetas pareciam estar cada vez mais dobradas sobre o rio. Eles pareciam estar olhando para baixo e observando algo. Mas não tinham nenhuma lanterna para ajudá-los nessa tarefa. Pareciam dois caçadores furtivos que estavam vigiando, ou colocando armadilhas.

Raul carregou a escada até a casa de Béchoux. Depois todos foram para a mansão. Duas correntes com cadeados reforçaram a fechadura. Ele tinha feito cópias de todas as chaves, e também tinha a chave que abria a porta de trás da casa. Eles andavam com cautela, mas não havia perigo de que os outros, que trabalhavam no parque em frente à mansão, os ouvissem. Uma lanterna muito fraca os iluminava.

Raul foi para a sala de bilhar e pegou, entre uma coleção de armas antigas fora de uso, uma espingarda colocada ali com antecedência.

– Está carregada – disse ele. – Admita, Béchoux, que o esconderijo é bom, e que você não suspeitava disso.

– Você não vai matá-los – murmurou Catherine, que estava ficando amedrontada.

– Não, mas eu vou atirar.

– Oh! Eu imploro.

Ele desligou sua lanterna e lentamente abriu uma das janelas, empurrando uma das persianas.

O céu estava cada vez mais cinzento. No entanto, ali, a cerca de sessenta ou oitenta metros, ainda podiam ser vistas as duas sombras, imóveis, como estátuas. A força do vento aumentava.

Alguns minutos se passaram. Uma das sombras fez um movimento lento. A outra, que estava na ilha, curvava-se mais sobre o rio.

Raul se ajeitou na melhor posição.

Catherine, angustiada, suplicou:

– Por favor… por favor…

– O que você quer que eu faça? – perguntou ele.

– Corra até eles e pegue-os.

– E se eles fugirem? E se escaparem de nós?

– Impossível.

– Eu prefiro uma certeza.

Ele fez pontaria.

O coração das duas jovens mulheres congelou. Elas desejavam que o terrível ato já tivesse sido feito e temiam ouvir a explosão.

Na ilha, a sombra se inclinava mais, e depois se afastava. Seria o sinal para atirar?

Logo ouviram-se dois disparos. Raul tinha atirado. E os dois seres rolaram sobre a grama, gemendo.

– Não saiam daqui – ele ordenou a Bertrande e Catherine –, não se movam!

Elas insistiram em segui-lo:

– Não, não – disse ele –, nunca se sabe como estes insetos podem reagir. Esperem por nós, e preparem o que é necessário para socorrê-los. Além disso, não é nada demais. Foi nas pernas, tiros de chumbinho.

Béchoux, você encontrará tiras de couro e duas cordas no armário do salão.

Ele mesmo, de passagem, pegou uma espreguiçadeira que podia servir de maca e dirigiu-se, sem pressa, em direção ao rio, nas margens do qual jaziam os dois feridos, inertes.

Sob seu comando, Béchoux segurava um revólver, e Raul disse ao oponente que estava mais próximo:

– Sem truques sujos, hein, camarada! Se tentar alguma coisa, o brigadeiro acabará com você como uma besta fedorenta. Além disso, de que adianta resmungar?

Ele se ajoelhou, jogou um facho de luz e zombou:

– Suspeitei que era você, senhor Arnold. Mas você foi tão hábil, que minhas suspeitas já estavam se dissipando, só tive certeza nesta manhã. Então, o que você estava fazendo aqui, velhote? Pescando pó de ouro no rio? Você vai explicar isso, não vai? Béchoux, ponha esse paciente na maca. Duas correias no pulso será o suficiente. E com delicadeza, sim? Ele tem chumbo na asa, ou melhor, no traseiro.

Eles o levaram cuidadosamente para o salão principal, onde as duas jovens tinham acendido as lâmpadas, e Raul lhes disse:

– Aqui está o pacote número um, o senhor Arnold. Meu Deus, sim… o empregado, o servo fiel do vovô Montessieux, seu homem de confiança. Vocês não esperavam por essa, esperavam? Vamos agora ao número dois.

Dez minutos depois, Raul e Béchoux pegaram o cúmplice, que tinha conseguido se arrastar até o sótão e cuja voz lacrimosa gaguejava:

– Sou eu… sim, sou eu… Charlotte… Mas eu não fiz nada… não fiz nada.

– Charlotte! – gritou Raul, rindo. – Vejam só, é a bela cozinheira, de macacão e calças de lona! Ela está encantadora assim, a sua amada!

Mas mesmo assim, é Charlotte, a cúmplice do senhor Arnold! Essa foi difícil, e eu não tinha pensado nisso. Minha pobre Charlotte, eu salguei demais a parte mais carnuda de sua agradável pessoa? Vai cuidar dela, não vai, Béchoux? Oh, algumas compressas refrescantes, colocadas delicadamente e trocadas com frequência...

Raul inspecionou as margens do rio e pegou uma longa faixa de tecido fino, composta por dois panos costurados de ponta a ponta, que se arrastava de uma margem para a outra, embebendo-se na água.

Uma grande dobra formava um bolso na parte inferior.

– Ah! ah! – ele exclamou, alegremente. – Eis a nossa rede de pesca! Os nossos peixes dourados, Béchoux!

A INQUISIÇÃO

Os dois capturados foram deitados em dois sofás na sala de estar. O senhor Arnold, atingido diretamente na coxa, soltava queixas abafadas. Charlotte sentia menos dores, com apenas alguns chumbinhos ardendo no traseiro.

Bertrande e Catherine olhavam para eles com espanto. Elas não podiam acreditar em seus olhos. Arnold e Charlotte, os dois criados cujo apego sempre pareceu sem limites, dois confidentes, quase dois amigos... eram eles os culpados? Eles tinham planejado toda esta aventura sombria? Teriam eles traído, roubado, matado?

Béchoux, por outro lado, mostrava um rosto em decomposição, e tinha a atitude esmagadora de um cavalheiro sobre o qual recaíram as piores desgraças. Ele se inclinou sobre a cozinheira e falou baixo com ela, com gestos de ameaça, reprovação e desespero.

Ela encolheu os ombros e pareceu responder-lhe com um insulto de desdém, que o deixou furioso. Raul o acalmou.

– Desamarre-a, meu velho Béchoux. Sua pobre amiga não parece confortável.

Béchoux desamarrou as duas correias que apertavam os pulsos da mulher. Mas, assim que ficou livre, Charlotte caiu de joelhos diante de Bertrande e recomeçou suas lamentações.

– Eu não tive nada a ver com isso, madame. A senhora sabe que fui eu quem salvou o senhor d'Avenac...

Béchoux se sentou abruptamente. Em sua consternação, o argumento parecia irrefutável e o encheu de uma força inesperada.

– Mas é verdade! Que direito temos de dizer que Charlotte é culpada? E então, culpada de quê? Afinal, que provas temos contra ela? E que provas temos contra Arnold? Ou melhor, que acusações? Do que eles são acusados?

Béchoux, como se diz, curava-se com o seu próprio veneno, à medida que crescia em seu discurso. Ele se excitava, provocava, ganhava terreno e, voltando-se para Raul, atacava seu adversário no rosto.

– Sim, eu pergunto, de que você acusa esta infeliz mulher? De que você acusa Arnold? Você os pegou na beira da água, no Barre-y-va, quando eles deveriam estar no trem para Paris... E daí? Se eles preferiram adiar sua partida por um dia, isso é um crime?

Bertrande assentiu, impressionada pela lógica de Béchoux, e Catherine murmurou:

– Eu sempre conheci Arnold... O vovô confiava nele totalmente... Como você pode pensar que este homem poderia ter matado o marido de Bertrande, ou seja, da própria neta do vovô? E por que ele faria isso?

Raul disse da maneira mais tranquila do mundo:

– Eu nunca afirmei que ele matou o senhor Guercin.

– E então?

– Então vamos explicar – disse Raul, decidido. – O assunto é obscuro, complicado, e vamos desvendá-lo juntos. Acho que o senhor Arnold vai nos ajudar. Não é, senhor Arnold?

O criado, liberado de suas algemas por Béchoux, tinha se sentado, o melhor que podia, em uma poltrona. Seu rosto, geralmente indiferente, que buscava passar despercebido, agora mostrava uma expressão de desafio e arrogância que devia ser a verdadeira índole.

Ele respondeu:

– Eu não tenho medo de nada.

– Nem mesmo da polícia?

– Nem mesmo da polícia.

– E se nós lhe entregarmos?

– Vocês não vão me denunciar.

– É uma espécie de confissão o que você está fazendo!

– Eu não admito nada. E não estou negando nada. Eu não me importo com vocês, ou com qualquer coisa que vocês digam.

– E você, querida Charlotte?

A cozinheira parecia ter recuperado alguma coragem ao ouvir o senhor Arnold. Ela respondeu em voz alta:

– Nem eu, senhor, eu não tenho medo.

– Muito bem, então. Já tomaram suas posições. Veremos se correspondem à realidade. Isso será rápido.

E Raul, enquanto caminhava com as mãos nas costas, começou:

– Será rápido, embora devamos tratar do assunto desde o início. Mas vou me contentar com um simples resumo, que dará aos eventos o seu lugar cronológico e seu valor natural. Há sete anos, ou seja, cinco anos antes de sua morte, o senhor Montessieux contratou como camareiro o senhor Arnold, que tinha quarenta anos na época, e que havia sido recomendado a ele por um de seus fornecedores, que em seguida se enforcou, como resultado de algumas especulações bastante obscuras. Arnold, inteligente, hábil, ambicioso, deve ter percebido muito rapidamente que poderia se dar bem, algum dia, com um velho tão misterioso e tão original quanto seu chefe. Cuidou dele, curvou-se facilmente aos seus hábitos e manias, ganhou sua confiança, tornou-se seu criado, seu assistente de laboratório e seu factótum – em suma, tornou-se indispensável. Estou rastreando este período de acordo com o que você me disse, Catherine, e me disse sem realmente saber que eu estava perguntando, ao acaso, a partir de suas memórias. Bem, essas lembranças muitas vezes evocavam uma certa desconfiança que seu avô sempre reteve, mesmo com Arnold, e mesmo com você, que era sua favorita, mas não imaginava que ele tinha segredos, e que poderia ser útil conhecer esses segredos.

Raul fez uma pausa, notou a profunda atenção de seus ouvintes e continuou:

– Esses segredos, ou melhor, "o" segredo, era a produção do ouro. Sabemos disso hoje. Mas é bem certo que o criado Arnold já soubesse disso naquela época, já que o senhor Montessieux não o escondia de forma alguma, e até mostrou a seu tabelião, o senhor Bernard, os resultados de suas pesquisas. O que ele escondia eram os seus procedimentos. E era isso que o senhor Arnold queria saber a todo custo. Um segredo comercial? Havia um laboratório no sótão. E havia outro laboratório, mais misterioso, estabelecido no porão do pombal, como você me disse, Catherine, e para o qual o senhor Montessieux fez chegar eletricidade, por meio de fios que foram ali encontrados. Mas será que havia mesmo fabricação de ouro? Os laboratórios não seriam uma farsa? Eles não serviriam a outros propósitos, sendo exatamente o principal deles fazer as pessoas acreditarem que o ouro estava sendo fabricado ali? Essas eram perguntas que o senhor Arnold fazia para si mesmo, e para resolvê-las ele observava seu mestre obstinadamente, e também em vão. No fundo, estou convencido de que, quando o senhor Montessieux morreu, ele não sabia nada além do que eu conhecia antes da leitura do testamento. E, afinal de contas, isso supostamente se reduzia a um certo número de deduções: que havia uma relação entre a presença do ouro em Barre-y--va, o curso do rio e a parte desse rio que atravessa a propriedade. Desde o início, meus olhos estavam fixos nas águas claras do Aurelle, e desde o primeiro momento notei o nome do rio, cuja etimologia é significativa. *Aurelle* significa rio de ouro, não é? Por isso eu vivia no barco, pescava em suas margens, tentando descobrir algum pedaço de metal que poderia emergir do fundo ou flutuar entre suas águas. O senhor Arnold deve ter agido como eu, durante as férias que seu mestre e Catherine tiravam na Páscoa e nos meses de verão. Ele continuou seu trabalho enquanto realizava operações bem-sucedidas na região, onde chegou a ser conhecido como o homem da cartola. Estou convencido, Béchoux, de que, se você analisasse as datas dessas façanhas, algo que nunca comentei com você, elas corresponderiam às estadas de Arnold na Barre-y-va. E depois veio a morte do senhor Montessieux, seguida do roubo do testamento, do qual estou inclinado a atribuir a responsabilidade ao senhor Arnold. Foi ele quem alertou o senhor Guercin, ofereceu seus serviços, revelou alguns detalhes sobre seu mestre e, finalmente, propôs um plano de ação. O resultado: o senhor Guercin veio a Barre-y-va e organizou com o lenhador Vauchel o transplante dos três salgueiros. Dali em diante, o rio faria parte do lote que a senhora Guercin herdará um dia. Tudo se combina desta forma entre os dois homens, lentamente, pois lhes faltam os elementos da verdade. O rio está, de fato, no centro das operações futuras. O ouro está lá, em algum lugar. Mas como resolver o problema sem as explicações prometidas pelo senhor Montessieux, e que Arnold e o senhor Guercin não conseguiram descobrir? Há apenas uma informação... se houver uma, e se estiver relacionada ao caso: a série de números traçados no final do testamento pelo senhor Montessieux. Não é muito, e é de se presumir que o senhor Guercin nunca tenha descoberto o significado disso, e que ele mesmo nunca tenha dado importância. Entretanto, algo precisa ser feito. O eventual casamento de Catherine precipita as coisas. As duas irmãs decidem se estabelecer aqui. Melhor ainda! Arnold estará presente. Ele se corresponde com o senhor Guercin. Este chega, suborna o escrivão Fameron, certifica-se de dar validade ao testamento, introduzindo-o no dossiê Montessieux, e inicia suas investigações no parque.

– E morre assassinado pelo criado Arnold! – gritou Béchoux ironicamente, levantando a mesma objeção que já havia levantado em um debate anterior.

E Béchoux acrescentou:

– Pelo criado Arnold, que estava na soleira da cozinha quando o assassinato foi cometido, e que me seguiu enquanto eu corria para o pombal, de onde foi disparado o tiro!

– Você se repete, Béchoux – disse Raul. – E também vou me repetir, respondendo que o criado Arnold não matou o senhor Guercin.

– Nesse caso, mostre-nos quem fez isso. Ou foi o Arnold – e você diz que não foi – ou foi outra pessoa, e você não tem o direito de acusar Arnold de um crime que ele não cometeu.

– Não houve crime.

– O senhor Guercin não foi assassinado?

– Não.

– Então do que ele morreu? De resfriado?

– Ele morreu como resultado de uma série de infelizes armadilhas, criadas pelo senhor Montessieux.

– Ora, então o culpado seria o senhor Montessieux que não está entre nós há quase dois anos.

– O senhor Montessieux era um maníaco e um lunático, e essa é a única explicação. Ele era o dono do ouro, e não permitiria que ninguém mais levasse algo que ele havia procurado tanto, e que ele havia finalmente descoberto. Imagine que um avarento como o senhor Montessieux tivesse amontoado no porão do pombal um tesouro inestimável, e que ele acreditava ser inesgotável; você não acha que esse avarento acumularia precauções para defender sua propriedade durante sua ausência? Ora, nos últimos anos de sua vida o senhor Montessieux não podia mais suportar o inverno rigoroso das margens do Sena e, durante o verão anterior à sua morte, ele aproveitou os fios elétricos que o filho Vauchel havia instalado em seu laboratório subterrâneo para instalar sozinho, em grande segredo, um sistema capaz de defender automática e mecanicamente a entrada do pombal. Bastava que um intruso tentasse abrir a porta e um revólver colocado à altura do homem disparasse contra ele e o atingisse no peito. Era matemático, infalível. Tendo sua obra-prima concluída, para criar mais segurança, o senhor Montessieux fez colocar uma placa em cada lado da ponte carcomida com esta inscrição: *"Cuidado. Passagem perigosa"*. Então, como no final de cada mês de setembro, ele fechou a casa, pegou as chaves e viajou para Paris com Arnold e Catherine. Naquela noite, ele morreu de uma congestão. Não tenho dúvidas de que sua intenção era deixar instruções para que, em caso de morte, ninguém tentasse entrar no porão sem desbloquear o sistema. Mas ele não teve tempo para isso, nem teve tempo de revelar o segredo do ouro. Vinte meses se passaram. Por acaso ninguém tentou abrir o pombal, e é claro que ninguém ousou se aventurar na ponte carcomida da ilha. Também foi por sorte que a umidade não tenha danificado os fios ou as balas da arma. Enfim, quando o senhor Guercin, tendo ouvido que Catherine frequentemente atravessava a ponte, aventurou-se, por sua vez, em se aproximar do pombal e, ao abri-lo, levou uma bala no peito. E, assim, ele não foi assassinado, mas morreu como vítima do acaso.

As duas irmãs ouviam Raul com atenção apaixonada e com a convicção óbvia de que ele não estava enganado. Béchoux permaneceu carrancudo. O criado, inclinado para a frente, não tirava os olhos de Raul d'Avenac. Ele continuou:

– Arnold sabia sobre o conjunto de armadilhas? Até onde sei, ele nunca foi para a ilha. Desconfiança fundamentada? Um esquecimento acidental? Eu não sei. O fato é que, após a morte do senhor Guercin, ele continuou sendo o único líder da trama para capturar os tesouros do senhor Montessieux. A Justiça, representada pelo juiz de instrução, não entendeu nada do caso; nem a polícia, representada pelo brigadeiro Béchoux, que em todas essas circunstâncias, devo dizer, demonstrou uma incompetência lamentável.

Béchoux interrompeu, encolhendo os ombros:

– Você deve ter adivinhado tudo isso rapidinho, não foi?

– No momento exato. A partir do momento em que não há ninguém para cometer o crime, é porque foi cometido por si mesmo. Foi apenas um pequeno passo, a partir daí, para entender a situação. E entendi imediatamente, examinando os fios elétricos e a arma. Assim, voltando ao senhor Arnold, ele estava livre para agir como quisesse, enquanto se precavia de qualquer perigo que pudesse surgir. Então Dominique Vauchel, que tinha trabalhado com o senhor Montessieux, sabia algumas coisas e deveria ter adivinhado outras. Ele havia falado com a mãe, embora não fosse muito loquaz, e a velha tola começou a fofocar loucamente sobre os três "salgos" e sobre os perigos que Catherine estava correndo. Era necessário, portanto, manter um olhar atento.

– E foi por isso – zombou Béchoux – que Arnold começou por se livrar de Dominique Vauchel, e depois da dona Vauchel.

Raul bateu o pé e pronunciou em voz alta:

– Bem, não, é aí que você se engana, Arnold não é um assassino.

– Mas só pode, pois Dominique Vauchel e sua mãe foram mortos.

– Ele não matou nenhum dos dois – disse Raul com o mesmo entusiasmo. – Arnold não matou ninguém, pois chamamos de "matar" o ato de cometer um crime com premeditação.

Béchoux persistiu:

– No entanto, foi no próprio dia em que Catherine Montessieux havia marcado um encontro com Dominique Vauchel... e alguém que estava lá escondido, Arnold ou outra pessoa, ouviu sobre esse encontro... foi nesse dia que Dominique Vauchel apareceu esmagado debaixo de uma árvore.

– E daí? Não pode ser um acidente natural?

– Então foi coincidência?

– Sim.

– E a hesitação do médico?

– Um erro.

– E a tora que foi encontrada?

– Escute, Théodore – disse Raul, com uma voz mais calma. – Afinal de contas, você não é tão estúpido quanto parece, e compreenderá o valor do meu raciocínio. A morte de Dominique Vauchel precedeu a do senhor Guercin, mas foi mais um daqueles incidentes que, com o transporte dos três salgueiros e as previsões da dona Vauchel, assustaram Catherine Montessieux. Suponho que nesse momento tenha passado pela mente do senhor Guercin e do Arnold certa clareza em relação ao testamento, ou pelo menos às explicações que deveriam ser acrescentadas pelo senhor Montessieux. Talvez tenham resolvido o enigma dos números escritos no documento. Ainda assim, outro plano se impôs ao criado Arnold, um plano baseado naquele terror crescente, que o assassinato do senhor Guercin deveria levar ao auge; e logo em seguida, no próprio dia do assassinato, a dona Vauchel, que já estava bastante louca, foi enterrada sob as folhas, sem que fosse possível identificar um motivo para assassiná-la. E, algum tempo depois, a pobre louca caiu da escada, sem que fosse possível afirmar nada, além da intenção de fazê-la cair da escada.

– Que seja! – gritou Béchoux. – Mas qual é o plano do criado Arnold? Aonde ele quer chegar?

– Ele quer que todos deixem o casarão. Ele veio aqui para pegar o ouro. Mas descobriu que não vai levar esse ouro, e que não poderá fazer o necessário para levá-lo, a não ser que o casarão esteja vazio e ninguém possa observá-lo. O casarão deve estar vazio antes de uma data fixa, que é o dia 12 de setembro, e para alcançar este resultado deve ser criado aqui um clima de pavor que fatalmente forçará as duas irmãs a partir. Ele não vai matá-las, porque não tem os instintos de um assassino. Mas ele vai afastá-las. E, uma noite, ele entra pela janela do quarto de Catherine e a agarra pela garganta. Você dirá que foi um atentado. Sim, mas um ataque simulado. Ele aperta a garganta, mas não a mata. Ele tinha tempo para isso. Mas qual seria o objetivo? Esse não é o seu propósito. E ele foge.

– Que seja! – gritou Béchoux, que estava sempre pronto para ceder, mas sempre teimava. – Que seja. Mas se foi realmente o Arnold que nós vimos no parque, quem foi que disparou um tiro de seu próprio quarto?

– Charlotte, sua cúmplice! Em caso de alerta, isso estava combinado entre eles. Arnold se faz de morto. Quando chegamos, não há mais ninguém. Ele voltou para o quarto, e nós o encontramos descendo, com o rifle na mão.

– Mas por onde ele subiu?

– Há três escadas, uma das quais está na extremidade, e que ele obviamente utiliza toda vez que faz algo à noite.

– Mas se ele fosse realmente o culpado, ele não teria sido atacado, e Charlotte também não!

– Simulação! Eles não devem ser suspeitos, a qualquer custo. Ele destrói uma tábua da ponte, e isso é o suficiente para um banho. Uma viga do pavilhão se solta, o pavilhão desmorona, mas Charlotte não é afetada, é claro. É apenas para aumentar o terror. As duas irmãs não querem mais ficar. Mas, como elas hesitam, outro ataque, um tiro disparado pela janela em Bertrande Montessieux – um tiro que não a atinge, é claro. A mansão é fechada. As irmãs se instalam em Le Havre.

– Arnold e Charlotte também – observou Béchoux.

– E depois? Eles pedirão férias, ou seja, uma licença que lhes permitirá ficar na mansão furtivamente nos dias 12, 13 e 14 de setembro. E tenho tal intuição, ou melhor, uma convicção fundamentada, de que estas datas regem tudo; e quando as trago de volta para o encontro do tabelião, peço para anunciarem categoricamente sua partida para o dia 10 ou 11, no máximo. A partir de então, três semanas de paz. A mansão estará vazia... Entretanto a data está se aproximando. Arnold está com medo. Ele está ainda mais assustado porque Charlotte relata a ele certas reservas da senhora Guercin. Será que a partida não é fingida? Será que elas não voltarão inesperadamente? Não sou um homem de desistir. Ele sente. Ele se preocupa. E desta vez age com menos escrúpulos. Para vencer a batalha, ele não desiste de um ataque mais sério. E enquanto espiona nos meus passeios de barco, uma certa noite ele joga uma pedra gigante sobre mim... sobre mim e sobre suas duas patroas que me acompanham sem seu conhecimento. Isto foi realmente um ataque e, se escapamos, foi por um milagre. Mas a guerra está declarada. Eu sou definitivamente o inimigo. Devo ser eliminado. Arnold me espiona, não perde um único movimento que eu faço, não tem medo de se mostrar a meio caminho, jogando-me no rastro do homem da cartola. E então vem a agressão final, quando ele arrisca tudo. Ele me atrai para as ruínas da estufa, me enterra, e depois leva meu carro (pois sabe dirigir, algo que havia escondido de você), dirige até Paris e envia um telegrama, assinado por mim, pedindo às duas que se juntem a mim. Se vocês não o tivessem desafiado, ele teria ficado sozinho no casarão, como ele queria. Ele ficou furioso e, quando viu que eu havia conseguido cavar um túnel pelo qual poderia escapar, derrubou todos os escombros em cima de mim. Sem Charlotte eu estaria perdido.

Novamente Béchoux se empertigou:

– Então você vê! Sem Charlotte, você mesmo disse. Portanto, Charlotte não teve nada a ver com isso.

– Ela é cúmplice, desde o primeiro momento até o último.

– Não, porque ela lhe salvou.

– Remorso! Até então ela havia aceitado tudo do Arnold, aprovava e colaborava com todos os atos dele. No momento supremo, ela não quis que um crime fosse cometido, ou melhor, não queria que Arnold fosse um criminoso.

– Mas por quê? O que isso importava para ela?

– Você quer saber?

– Sim.

– Você quer saber por que ela não queria que Arnold se tornasse um criminoso?

– Sim.

– Porque ela o ama.

– Hein? O que você está dizendo? O que você ousa dizer?

– Eu digo que Charlotte é namorada de Arnold.

Béchoux levantou os punhos e gritou:

– Você mente! Você mente! Você mente!

OURO

O criado Arnold tinha ouvido o relato de Raul com um ar de crescente paixão. Com suas mãos agarrando a cadeira, seu peito meio erguido sobre os braços, o rosto crispado com uma atenção que as palavras de Raul pareciam exasperar a cada minuto, ele escutou sem pronunciar uma palavra.

– Você mente! Você mente! – Béchoux continuava gritando. – E é abominável cobrir com insultos uma mulher que não pode se defender.

– Como não? – protestou Raul. – Ela tem a liberdade de me dar todas as respostas que quiser. Estou esperando, de cabeça erguida!

– Ela lhe despreza, e eu também. Ela é inocente, e Arnold também. Todas as suas histórias podem ser verdadeiras, e não duvido que sejam verdadeiras, mas não se aplicam a nenhum dos dois. Escute bem, faço objeção a suas acusações, e eu os defendo com minha autoridade e experiência! Eles não são culpados!

– Do que você precisa?

– Provas!

– Uma seria suficiente para você?

– Sim, se for irrefutável.

– Será que a confissão de Arnold seria uma prova irrefutável?

– Por Deus!

Raul se aproximou lentamente do criado e, cara a cara, olhos nos olhos, perguntou-lhe:

– Tudo o que eu disse é verdade, não é?

O criado articulou, surdamente:

– Desde a primeira palavra até a última.

E ele repetiu, com o tom estupefato de um homem que não entende nada:

– Desde a primeira palavra até a última. Eu poderia pensar que você testemunhou todas as minhas ações nos últimos dois meses e leu todos os meus pensamentos.

– Você está certo, Arnold. O que eu não consigo ver, eu posso adivinhar. Sua vida me parece tal como deve ter sido. O seu presente explica seu passado. Você deve sido de algum circo, onde foi acrobata, certo?

– Sim, sim – disse Arnold, em uma espécie de delírio, no qual ele parecia fascinado por Raul.

– Você não sabia como se esticar, alongar seu corpo para caber em um barril estreito? Apesar de sua idade, você ainda não consegue entrar em seu quarto por fora, usando os tubos e calhas?

– Sim, sim.

– Então eu estou errado?

– Não.

– Em nada?

– Em nada!

– E você não é namorado da Charlotte? E não foi por seu conselho que ela enfeitiçou Béchoux, e que ela o trouxe até aqui, para permitir que você trabalhasse à vontade, sob a proteção da polícia que ele representava?

– Sim... sim...

– E Charlotte não lhe mantinha a par sobre o que as patroas contavam a ela, ou seja, sobre os meus planos?

– Sim... sim...

Conforme o criado confirmava os detalhes dados por Raul, a raiva de Béchoux se tornava mais violenta. Lívido, cambaleante, ele agarrou o criado pelo colarinho e, sacudindo-o, gaguejou:

– Você está preso! Vou entregá-lo ao Ministério Público... você responderá por seus crimes perante a lei!

O senhor Arnold acenou com a cabeça e riu, ironicamente:

– Não... você não pode fazer nada... Entregar-me é entregar a Charlotte. E você não iria querer isso. E também seria um escândalo que comprometeria a senhora Catherine, a senhora Guercin. O senhor d'Avenac vai se opor a isso. Não é, senhor d'Avenac, o senhor é que é o chefe, e a quem Béchoux é obrigado a obedecer, não é? O senhor não vai se opor a qualquer ação contra mim?

Ele parecia desafiar Raul e aceitar o duelo, no caso de Raul decidir lutar. Raul também sabia que Bertrande tinha sido cúmplice de seu marido, e que a menor revelação seria um terrível golpe para o afeto das duas irmãs! Entregar Arnold à lei seria uma vergonha pública para Bertrande.

Raul d'Avenac não hesitou. Ele disse:

– Estamos de acordo. Seria um absurdo causar um escândalo.

O senhor Arnold insistiu.

– Portanto, eu não devo temer represálias?

– Não.

– Estou livre?

– Você está livre.

– E como, em resumo, eu contribuí em grande parte para um negócio que um homem do seu nível logo realizará, não tenho direito a uma parcela pessoal nos lucros futuros?

– Oh, não! – disse Raul, rindo de coração. – O senhor exagera, senhor Arnold.

– Essa é a sua opinião, não a minha. Em qualquer caso, eu exijo.

Estas duas sílabas foram entoadas em voz alta, e em uma voz que não era brincadeira. Raul viu a cara teimosa do criado e ficou alarmado. O inimigo teria uma carta secreta na manga, que lhe permitia ditar seus termos até certo ponto? Ele se curvou diante dele e disse suavemente:

– Chantagem, hein? Com que fundamentos? Em que você está se baseando?

Arnold murmurou:

– As duas irmãs te amam. Charlotte, que é ligeira como uma mosca, tem provas disso. Há muitas brigas bem acirradas a seu respeito. Elas não sabem a razão disso, nem mesmo sabem o que está acontecendo dentro delas. Mas uma única palavra pode esclarecê-las, e elas se tornariam inimigas mortais. Devo dizer essa palavra?

Raul esteve a ponto de lhe dar um belo soco como sinal de punição. Mas ele sentiu a arrogância desse gesto. E, lá no fundo, a revelação do criado o perturbava infinitamente. Os sentimentos das duas irmãs não lhe eram desconhecidos. Naquela mesma manhã Bertrande o beijara com um ardor que ele não podia ignorar, e muitas vezes tinha provas de toda a ternura amorosa que Catherine lhe dava. Mas eram coisas profundas, emoções confusas, que ele deixava deliberadamente nas sombras, para que não se perdesse a doçura e o encanto. "Não vamos pensar nisso", pensou. "Tudo desapareceria com a luz do dia." E gritou alegremente:

– Bem, senhor Arnold, seus argumentos não são desprovidos de mérito. De que material é feito o seu grande chapéu?

– De tela, o que me permitia colocá-lo no meu bolso.

– E seus enormes sapatos?

– Feitos de borracha.

– O que lhe permitia caminhar silenciosamente e deslizá-los pelos buracos por onde escorregava o seu corpo de acrobata?

– Isso mesmo.

– Senhor Arnold, seu chapéu de tela e seus sapatos de borracha serão preenchidos com pó de ouro.

– Obrigado, senhor. Eu o ajudarei com meus conselhos para encontrar o ouro.

– Não é necessário. Você falhou, o bolso da rede que você arrastou pelo rio está vazio. Mas eu vou conseguir. Um detalhe, porém: quem decifrou o enigma dos números traçados pelo senhor Montessieux?

– Fui eu.

– Em que momento?

– Alguns dias antes da morte do senhor Guercin.

– E foi isso que o orientou?

– Sim.

– Perfeito... Béchoux!

– O que é? – rosnou o policial, sem se mexer.

– Você ainda está convencido de que seus amigos são inocentes?

– Mais do que nunca.

– Esse é o espírito. Bem, ocupe-se deles, cuide deles, alimente-os... e não os deixe sair desta sala até que eu tenha terminado meu trabalho. Além disso, "salgados" como eles estão, não creio que sejam capazes de se mover pelas próximas quarenta e oito horas. Isso é mais do que eu preciso, e vou fazer tudo sem precisar deles, cada um de nós fazendo suas próprias tarefas domésticas. Boa noite. Estou caindo de sono.

O criado Arnold o deteve com um gesto.

– Por que você não tenta a sorte hoje à noite?

– Ora, vejo que você agiu sem compreender, e que não entendeu o total significado dos números. Isto não é uma questão de sorte, senhor Arnold, mas uma certeza. Ocorre que...

– Ocorre o quê?

– Não há vento suficiente nesta noite.

– Então será amanhã à noite?

– Não, amanhã de manhã.

– Amanhã de manhã!

A exclamação do senhor Arnold provou que ele, de fato, não tinha entendido nada.

Se o vento era um auxiliar necessário, Raul estava favorecido. Durante toda a noite ouviram-se assobios e uivos. Pela manhã, malvestido, Raul o viu, pelas janelas do corredor, sacudindo as árvores e correndo do oeste, pelo vale do Sena, duro, intratável, tumultuoso, perturbando o largo rio que vinha ao seu encontro.

Na sala, Raul encontrou as duas irmãs. Eles tinham preparado o café da manhã.

Béchoux chegou do vilarejo com pão, manteiga e ovos.

– São para seus dois amigos, esses mantimentos?

– O pão será suficiente para eles – disse Béchoux, com raiva.

– Ei, ei, você parece pouco entusiasmado...

– Dois malandros! – ele mastigou. – Eu amarrei os pulsos deles, por segurança. E tranquei a porta. Além disso, eles não podem andar.

– Você colocou compressas nas áreas sensíveis?

– Você está louco. Que eles se danem!

– Então, você vem conosco?

– Por Deus!

– Esse é o espírito. Você está de volta ao lado certo da trincheira.

Todos comeram com bom apetite.

Às nove horas eles se aventuraram do lado de fora, com uma chuva forte que se fundia com as nuvens baixas, impulsionadas pelo sopro da tempestade – uma tempestade de cataclismo que parecia plantar obstáculos para aniquilá-los.

– É a maré – disse Raul. – Ela se anuncia com relâmpagos. Quando a tempestade tiver passado, com a grande onda da maré montante, a chuva talvez diminua.

Atravessaram a ponte e, virando à direita, para a ilha, chegaram ao pombal. Por iniciativa própria, Raul tinha mandado fazer uma chave um mês antes e nunca se separava dela.

Ele abriu a porta. No interior, os fios elétricos que os tinha restaurado estavam funcionando. Acendeu a luz. Um cadeado forte mantinha a escotilha fechada. Ele também tinha a chave.

O subsolo estava iluminado. Quando as duas irmãs e Béchoux desceram, elas avistaram uma escada, e Raul apontou para elas, na parede oposta à escada, uma tela de arame com malhas tão próximas umas das outras como uma tela de tapeçaria, e que cobria todo o comprimento da parede a uma altura de quarenta centímetros, no máximo. Uma armação de ferro a cercava.

– A ideia do senhor Arnold – disse Raul – não foi uma ideia ruim. Com dois tecidos costurados juntos e formando um bolso, ele bloqueou o rio. Mas os tecidos flutuantes não alcançavam o fundo, que é o principal. Esse inconveniente não ocorre com a estrutura construída pelo senhor Montessieux.

Ele subiu no escadote. Na parte superior da caverna, um metro acima do nível da água, havia um buraco alongado, fechado por uma janela empoeirada. Ele abriu. O vento, o frio do exterior, o respingar da água, tudo entrou imediatamente. Com a ajuda de Béchoux, Raul deslizou a armação através desta abertura, inserindo os lados da armação em duas estacas acionadas em cada lado do Aurelle e escavadas com corrediças, e deixou-a cair.

– Bem – disse –, o próprio fundo do rio é barrado, assim como uma rede de pesca que captura peixes. Note, a propósito, que, se esta peneira foi construída recentemente, as estacas com dispositivos datam de muito tempo atrás, talvez um século ou dois. No século XVII, no século XVIII, os moradores de Barre-y-va já manuseavam todo esse sistema, que deve ter sido mais complicado do que este que vemos.

O grupo deixou a torre. A chuva tinha diminuído. Nas bordas, entre as pedras e a lama, destacavam-se as cabeças desgastadas de duas estacas. Como havia outras, elas não eram particularmente perceptíveis.

Neste momento, o Aurelle, muito baixo, havia parado de fluir em direção ao Sena. Após um instante de equilíbrio houve uma luta entre a água que queria seguir seu curso normal e a água que começava a fluir do grande rio, e a efervescência produzida pelo fluxo da maré podia ser ouvida. Sob o tremendo impulso da maré, que o vento levantava e aumentava dez vezes mais, uma enorme onda invadia o Sena, enchendo o vale de redemoinhos, com montanhas de água que saltavam e rodopiavam.

E o Aurelle, hesitante, invadido por sua vez pela inundação irresistível em que o mar e o Sena se misturavam, inchado por esta onda mais forte que ele, cedeu terreno, recuou, foi superado, absorvido e, subitamente fugitivo, subiu em direção à sua nascente.

– Que fenômeno estranho! – gritou Raul. – Somos privilegiados. É raro, tenho certeza, que isso ocorra com tal magnitude e ardor. Não devemos perder um detalhe se quisermos entender tudo.

Ele repetiu:

– Entender tudo! Dentro de alguns minutos, todas as razões decisivas serão vistas a olho nu.

Ele atravessou a ilha correndo e, passando para o outro lado, subiu a encosta que levava ao topo das rochas. Parando no local onde Arnold havia escorregado por suas mãos, ele se inclinou sobre o desfiladeiro. Estrangulada entre as rochas e o Butte-aux-Romains, a massa de água havia subido até o ponto médio do penhasco, circundando o Butte, e estava agitada nesta cuba da qual só podia escapar por uma saída estreita, que a deixava cair em uma fina cascata sobre o prado dos três salgueiros.

Outras massas de água subiam com força, impulsionadas pelo vento e infladas pelas rajadas de chuva, lançadas como pacotes pelas nuvens agitadas.

Béchoux e as duas irmãs se apressaram para perto de Raul para ver o que ele assistia. Ele murmurava frases curtas, nas quais seus pensamentos se expressavam em pedaços.

– É isso mesmo, foi o que eu presumi. Se os eventos continuarem de acordo com minha hipótese, tudo será explicado. E não pode ser de outra forma... Se fosse de outra forma, não haveria lógica.

Meia hora se passou. Ao longe, no Sena, cuja imensa curva podia ser vista, a grande batalha se afastava, trazendo consigo sua escolta de tempestades e chuviscos, e deixando para trás um rio alargado, sacudido por arrepios, mas cuja velocidade estava se tornando menos intensa.

Passou-se mais meia hora. O rio estava se acalmando. Ele se imobilizava sob a ofensiva, ainda que tímida, da fonte que tentava retomar seu curso normal. Quase cercado, o Butte-aux-Romains se esvaziava da água que o havia invadido e corria em uma centena de ravinas, que deslizavam ao longo de seu terreno gramado e entre as rachaduras de suas fundações. O nível da água diminuiu drasticamente, e o Aurelle acelerou seu ritmo, como se fosse sugado de volta para o rio onde ia se perder.

E tudo voltou à sua aparência cotidiana. A chuva havia cessado.

– Vejam – disse Raul. – Eu não estava enganado.

Béchoux, que não havia proferido uma palavra, objetou:

– Para que você não esteja enganado, é preciso que haja pó de ouro. Você estendeu suas redes, e retomou, da maneira que deveria ter sido feita, a tentativa de Arnold, e afirma que os elementos o favoreceram. Consequência matemática: ouro. Onde está o ouro?

Raul o encarou.

– É nisso que você está mais interessado, certo?

– Nossa Senhora! E você, não?

– Eu não. Mas admito perfeitamente que você tenha esse ponto de vista.

Eles voltaram pelo caminho rochoso e retornaram para a ilha ao lado do pombal. Raul confessou:

– Não tenho certeza de como o senhor Montessieux fez suas colheitas, nem se ele foi capaz de fazer tudo isso. Imagino, além disso, que devem ter sido em número reduzido, dada a complexidade das condições necessárias. Em todo caso, ele certamente tinha à sua disposição os meios já existentes, as válvulas, os tubos de drenagem etc., que esse tempo não me permitiu encontrar e aperfeiçoar. No máximo, descobri a peneira para estabelecer a barragem e, no sótão do casarão, o que é chamado de rede de imersão. Veja, Béchoux. Está ali, no chão, aos pés daquela árvore.

De fato, havia ali um dispositivo com um anel de ferro e uma rede, mas uma rede metálica com malhas imperceptíveis como as de uma peneira.

– Béchoux, você não gostaria de ir até o rio? Não? Pois pesque, meu velho, e raspe o fundo, ao longo de toda a tela da represa.

– Do lado da fonte?

– Sim, como se o rio, fluindo em sua verdadeira direção, tivesse carregado o pó de ouro que se colou à peneira.

Béchoux obedeceu. O cabo era longo. Colocando os pés em uma grande pedra na margem, ele poderia alcançar três quartos do rio.

Ao chegar lá, ele puxou a rede de volta, arrastando o círculo de ferro pelo fundo.

Todos estavam em silêncio. O instante era solene. Será que as previsões de Raul estavam certas? Fora realmente neste leito de cascalho fino e algas que o senhor Montessieux havia recolhido seu precioso pó?

Béchoux terminou seu trabalho e ergueu a rede.

Na rede metálica havia cascalho e algas, mas também alguns pontos que brilhavam. Eram pó e algumas pepitas de ouro.

AS RIQUEZAS DO PROCÔNSUL

– Vejam – disse Raul, entrando na sala de visitas do casarão. Ali estavam o criado e Charlotte, amarrados em dois sofás distantes um do outro. Não pareciam nada confortáveis. Aqui, senhor Arnold, eis uma parte do que prometi, o suficiente para encher metade do seu chapéu. Quanto ao resto, você só terá que raspar o rio no lugar que seu amigo Béchoux lhe mostrará, e você terá muito para seus pequenos regalos de Natal.

Os olhos do criado brilharam. Ele já podia se ver sozinho na propriedade, fazendo colheitas frutuosas, já que possuía o segredo do senhor Montessieux.

– Não se alegre muito – disse Raul. – Amanhã... nesta noite... terei secado a preciosa fonte, e você terá que se contentar com o acordo que fizemos.

Todos se retiraram para seus aposentos para trocar as roupas que estavam encharcadas. O almoço os reuniu. Raul falou alegremente de todo tipo de coisas. Mas Béchoux, que estava ansioso para saber mais, o pressionou com perguntas.

– Assim, os eventos destacam um fato que pode ser resumido nestas poucas palavras: o rio carrega ouro de forma constante, mas infinitesimal. Sob a ação de certos elementos, e em certos momentos, ele carrega pepitas maiores que se acumulam especialmente nas proximidades da torre. É isso, não é?

– De jeito nenhum, meu velho. Você ainda não entendeu uma maldita palavra disso tudo. Essa é a crença primitiva dos proprietários de Barre-y-va, uma crença transmitida a Montessieux ou redescoberta por ele. É a crença do senhor Arnold. Mas, quando se tem uma mente construtiva, o que não é o seu caso, não se para na metade do caminho, e se vai aos limites extremos da verdade. Mas eu tenho uma mente construtiva e sou o primeiro que, neste caso, não parou na metade do caminho. Vamos pegar a estrada juntos, vamos, Béchoux?

Raul tirou de seu bolso uma folha de papel na qual estavam os números escritos pelo senhor Montessieux, e os leu em voz alta:

31415169131415310111291213 14

– Se você examinar este documento cuidadosamente, verá – o senhor Guercin e o Arnold levaram meses e meses para perceber isso – que o número 1 aparece a cada duas vezes, e assim você pode formar quatro séries de números de dois dígitos, e que são separados duas vezes por um 3, e duas vezes por um 9. Retire estes dígitos intermediários, e você terá:

14.15.16 – 13.14.15 -10.11.12 – 12.13.14.

– Naturalmente, entre as hipóteses que vêm à mente, uma leva a acreditar que esses números são datas, e que os números 3 e 9 que os separam representam certos meses, o mês de março e o mês de setembro.

Esses eram os meses em que regularmente o senhor Montessieux ficava aqui. Todos os anos ele passava parte de março no Barre-y-va, e todos os anos ele não saía até a segunda quinzena de setembro. Portanto, pode-se assumir que, antes de sua partida há dois anos, o senhor Montessieux escreveu, como lembrete, os quatro grupos seguintes de datas em que o rio entregaria ou poderia entregar parte de seu ouro, ou seja: 14, 15 e 16 de março e 13, 14 e 15 de setembro do ano passado; 10, 11 e 12 de março e 12, 13 e 14 de setembro deste ano. Bem, 12 de setembro foi ontem, 13 de setembro é hoje, e é nisso que o senhor Arnold construiu todo o seu plano. Para ele, o senhor Montessieux, baseando-se em dados antigos e em tradições que datam de vários séculos, agia nas datas fatídicas verificadas pela experiência. Desde que ele tenha coletado ouro em tal ou tal data, e desde que saiba que o coletará nessas mesmas datas, Arnold não teria dúvidas. No momento oportuno, ele agiria.

Béchoux observou:

– Bem, Arnold não se enganou. As datas anotadas pelo senhor Montessieux são as datas certas.

– Por que são as datas certas?

– Por razões que eu não sei.

– Idiota! Por razões que você conhece, assim como eu. Por razões que eu pressenti desde o início.

– Quais?

– Essas são as datas das marés altas, seu triplo imbecil. São o equinócio da primavera e o equinócio do outono. Duas vezes por ano, a maré sobe o Sena com mais violência, de manhã e à noite, e por vários dias. Acrescente a isto o fato de que as marés do equinócio são mais fortes que as outras, e que o vento pode aumentar a intensidade da maré, e você entenderá que são necessárias circunstâncias especiais para ter sucesso, o que raramente ocorre.

– E quando elas sobem – disse Béchoux, após cuidadosa consideração – os pedaços de ouro que flutuam no rio ou jazem em algum buraco são colocados em movimento e se instalam no local que encontramos.

Raul bateu com o punho em cima da mesa.

– Não, não, mil vezes não! Não é nada isso. Esse é o erro cometido por aqueles que conheciam o segredo e tiraram proveito dele. A verdade está em outro lugar.

– Explique-se.

– Não há realmente nenhum rio em nosso país que carregue ouro. Pode haver ouro em um rio, mas não de forma natural. Não é uma qualidade da areia que rola para o fundo, ou das pedras que forram o leito.

– Nesse caso, de onde veio o ouro que vimos lá?

– De uma mão que o colocou lá.

– O que você está dizendo? Você está louco! Uma mão que renovaria o fornecimento cada vez que uma grande maré o esgotasse?

– Não, mas uma mão que depositou ali tamanho suprimento que nenhuma série de grandes marés poderia esgotá-lo. Não há depósito de ouro produzido por forças físicas ou químicas, mas, sim, um depósito de ouro empilhado por homens. Não estamos diante de uma fabricação, como o senhor Montessieux queria fazer-nos acreditar, nem de uma produção espontânea, como ele acreditava, e como outros achavam, mas estamos diante de um tesouro, simplesmente um tesouro que flui pouco a pouco, quando certas condições são preenchidas. Você está começando a entender, Béchoux?

Béchoux ponderou por alguns segundos e respondeu:

– Eu não quero saber. Continue.

Raul sorriu, olhou para as duas irmãs que o escutavam apaixonadamente e disse:

– Na minha opinião, é o que pode ser chamado de operação em duas fases. Primeira fase: um tesouro considerável é depositado em um determinado lugar, em um recipiente sólido, hermeticamente selado. Ele permanece lá por dezenas, centenas de anos… até o dia em que ocorrem rachaduras no recipiente e, sob a ação de forças externas que acontece em intervalos distantes, pedaços do conteúdo escapam. Esta é a segunda fase. Quando isso aconteceu pela primeira vez? Quem coletou primeiro um pouco desse ouro liberado? Eu não sei. Mas não me parece impossível de descobrir, estudando os arquivos locais das paróquias ou das famílias nobres.

– Eu sei o que é – disse Catherine, sorrindo.

– Sério? – exclamou vivamente Raul d'Avenac.

– Sim, o vovô tinha – e eu acho que está em Paris – um plano da propriedade datado de 1750. Nele o rio não é designado sob o nome de Aurelle. Em 1759 ainda era chamado de Bec-Salé.

Raul triunfou.

– A prova é formal. Assim, há pouco mais de um século e meio ocorreu um evento, e o Bec-Salé, ou seja, o rio salgado *(salé)* tornou-se o Aurelle, por razões que gradualmente impuseram esta mudança de nome. Desde então, estas razões foram esquecidas, provavelmente por causa da raridade do fato. Mas o fato em si persistiu, e hoje nós testemunhamos isso.

Béchoux parecia convencido. Ele disse:

– Eu pedi que esclarecesse: você esclareceu. Peço a gentileza de concluir logo.

– Concluo, Théodore. Você acabou de ver como as designações são importantes, especialmente no campo, onde os nomes de um lugar, uma colina, um curso de água, sempre derivam de uma causa real e se perpetuam muito além do tempo, depois que que essa causa é esquecida. É esta regra invariável que, desde os primeiros dias, chamou minha atenção para o Butte-aux-Romains. E é por isso que, desde o início, examinei a formação deste monte. Reconheci imediatamente o que os romanos chamavam de túmulo. Não era um monte natural, mas um monte artificial em forma de cone, com uma base de escombros e cursos alternados de terra e pedra. Geralmente era usado como local de sepultamento e, no centro, eram construídas câmaras fúnebres. Mas também era usado para esconder armas, baús de prata e ouro. Ao longo dos séculos, nosso túmulo tornou-se compactado, e provavelmente entrou em colapso por dentro. Uma vegetação espessa o cobriu, e tudo o que restou de seu passado foi aparentemente o nome, Butte-aux-Romains. Mesmo assim, minha atenção permaneceu alerta. E foi talvez neste contexto que germinou em mim a ideia de um tesouro, uma ideia que se misturou com aquela ideia do vazamento de metal precioso que poderia ocorrer. A conformação do tumulo, três quartos do qual estão rodeados por uma curva no rio, reforçou a minha hipótese. E você viu, antes, a pressa com que eu fui verificar. Eu estava certo. A água estava subindo, formando, entre o penhasco e o monte, uma espécie de tanque, como um reservatório que ficava sempre mais alto. Quando o fluxo parou, quando o rio começou a descer, este reservatório teve que se esvaziar por todas as saídas possíveis, ou seja, por todas as rachaduras, escavações, as fissuras e as fendas que esburacam o Butte como um filtro. O resultado: à medida que a água passava, levava consigo tudo o que era pó, e pequenos flocos. E foi isso que colhemos contra a barragem da peneira.

Raul ficou em silêncio. A estranha história apareceu diante de todos em toda a sua glória, tão simples e tão lógica, e nenhum deles pensou em expressar a mais leve objeção. Béchoux murmurou:

– É um esconderijo muito inseguro, esse monte cercado por água.

– O que sabemos? – exclamou Raul. – O estuário do Sena sempre sofreu profundas mudanças e, naquela época, o túmulo era talvez mais isolado, menos acessível às marés fortes. E não se esconde um tesouro para a eternidade: esconde-se em favor de alguém, que deverá gozá-lo e vigiá-lo, e que agirá de acordo com as ameaças imprevistas. Mas muitas vezes o segredo, transmitido regularmente no início, acaba sendo perdido. A localização exata do cofre não é mais conhecida, nem a senha que abre a fechadura. Lembre-se dos tesouros dos reis da França, trancados na Aiguille d'Étretat[11]. Lembre-se dos tesouros religiosos da Idade Média, enterrados perto da Abadia de Jumiège[12]. O que sobrou de tudo isso? Lendas que uma mente mais sábia do que outras converteu, um dia, em realidades. Bem, hoje, neste mesmo país de Caux, velho país da França onde a história sempre foi favorável às grandes aventuras e misturada com os grandes segredos nacionais, nos deparamos com um desses problemas apaixonantes que tornam a vida mais interessante.

– O que você está supondo?

– É o seguinte. Dada a proximidade de Lillebonne – a *Julia Bona* dos romanos, uma importante capital, e cujo antigo teatro comprova sua vitalidade durante o período galo-romano[13] –, algum procônsul, tendo sua casa de campo, sua vila em Radicâtel, deve ter escondido sua riqueza pessoal, o fruto de suas rapinas, transformado em pó de ouro, neste antigo túmulo, construído, talvez, pelos exércitos de Júlio César. Ele deve ter morrido durante alguma expedição ou após alguma orgia, sem ter tido tempo de passar seu segredo para os filhos ou os amigos. Então, depois, houve todo o caos da Idade Média, todas as revoltas do país, as lutas contra os homens do Oriente, contra os homens do norte,

[11] *Arsène Lupin e a Agulha Oca (L'aiguille creuse,* 1929). (N.T)

[12] *Arsène Lupin e a condessa de Cagliostro (La comtesse de Cagliostro,* 1924). (N.T.)

[13] A expressão remete à cultura romanizada da Gália sob o controle do Império Romano. (N.T.)

contra os ingleses. Tudo se desvaneceu na escuridão. Nem mesmo uma lenda. O problema nem sequer apareceu. Apenas um trecho do passado que emerge no século XVIII... um pouco de ouro que flui. Depois, o drama que foi vivido... o senhor Montessieux... o senhor Guercin...

– E você aparece! – murmurou Béchoux, naquele tom de admiração quase místico que ele às vezes assumia ao falar com Raul.

– E eu apareço! – repetiu Raul, alegremente.

As duas irmãs também olharam para ele, como se olhassem para uma figura de essência particular, acima das dimensões humanas.

– E agora – disse Raul, levantando-se – vamos trabalhar. O que resta do tesouro do meu procônsul? Talvez não haja muito, seja porque era originalmente pequeno, seja porque as marés o dissolveram gradualmente e o levaram, quem sabe para onde. Mas vamos tentar.

– Como? – disse Béchoux.

– Abrindo o túmulo.

– Mas é um trabalho que leva vários dias. Temos que derrubar árvores, abrir trincheiras, cavar, carregar terra. E como não podemos pedir ajuda a ninguém...

– Vai levar uma hora ou duas, três no máximo.

– Oh! Oh!

– Mas sim! Se admitimos que o túmulo foi usado como uma arca, devemos admitir que uma arca não é colocada nas entranhas da terra, mas em um lugar que, embora invisível e "insuspeito", é de fácil acesso. Bem, enquanto escavava no meio do mato, descobri que a primeira camada de pedras situada um metro acima do solo transbordava um pouco, e evidentemente constituía, no passado, um estreito caminho circular. Além disso, notei que, deste lado, de frente para o casarão, e sob grossas camadas de hera, há uma espécie de reforço, uma rotunda, que deve ter abrigado alguma estátua de Minerva ou de Juno, que estaria ali tanto como guardiã quanto como um indicador. Pegue uma picareta, Béchoux. Farei o mesmo e, se eu não estiver enganado, não tardaremos a conhecer a solução do problema.

Desceram ao galpão onde eram guardados os utensílios de jardinagem, escolheram duas picaretas e, acompanhados pelas jovens, foram para os arredores do Butte-aux-Romains.

Raízes e plantas, ainda molhadas, foram puxadas para cima; o caminho foi desobstruído, a rotunda foi descoberta, e as rochas, que formavam o fundo, foram quebradas a picaretadas.

Esta muralha demolida foi seguida por outra, trabalhada com mais delicadeza, onde vestígios de mosaicos e restos de um pedestal, sobre o qual a estátua deveria ficar de pé, ainda podiam ser vistos. Seus esforços se concentraram neste ponto.

A água vertia por todos os lados e se espalhava em poças, que gotejavam até o rio. Logo uma das picaretas furou a divisória e passou pelo vazio. Eles ampliaram a abertura. Raul acendeu sua lâmpada.

Como ele havia previsto, eles encontraram uma escavação bastante baixa, onde se podia simplesmente ficar de pé e que, sem dúvida, havia servido como câmara funerária. Um pilar central suportava o teto. Ao seu redor se agrupavam três potes provençais feitos de terra esmaltada, com um corpo largo, que ainda são usados no sul da França para preservar o óleo. Os escombros de uma câmara estavam espalhados sobre o solo viscoso. Pontos dourados brilhavam.

– Foi o que eu disse – disse Raul. – Vejam as paredes desta pequena caverna... todas rachadas e descascadas. Após a enchente das grandes marés, começa a infiltração, e formam-se pequenas cachoeiras, que buscam a saída e abrem escoadouros. E os grãos de ouro e pedaços de metal escorregam por esses escoadouros.

A emoção prendia a garganta de todos. Por um momento eles ficaram em silêncio naquela sala escura, onde quinze ou vinte séculos atrás um ser humano depositara sua riqueza, e onde ninguém tinha entrado desde então. Quantos mistérios tinham se acumulado ali, e que milagre estar ali agora!

Com a ponta de sua picareta, Raul quebrou o gargalo de cada um dos três potes e os iluminou, por sua vez, com o facho de sua lanterna. Todos estavam repletos de pepitas de ouro, grãos de ouro, pó de ouro! Com as mãos cheias, ele pegou dois punhados e os deixou cair, e eles brilharam à luz da lâmpada.

Béchoux estava tão abalado com esse espetáculo que seus joelhos se dobraram e, sem dizer uma palavra, caiu sentado no chão, sobre os calcanhares.

As duas irmãs estavam igualmente mudas. Mas não era a visão de ouro que as perturbava. Nem mesmo a poderosa impressão, que eles tinham sentido, de estar no coração de uma aventura que já durava vinte séculos, com todas as reviravoltas do passado e do presente se desdobrando diante de seus olhos desnorteados. Não, era outra coisa. E, enquanto Raul as questionava em voz baixa sobre seus pensamentos secretos, uma delas respondeu:

– Estamos pensando em você, Raul... no homem que você é...

– Sim – disse a outra –, em tudo o que você faz, tão facilmente, se arriscando... Não conseguimos entender... é tão simples e ao mesmo tempo tão extraordinário...

Ele sussurrou, e cada uma delas pôde acreditar que tinha ouvido sozinha, e que ele falava somente com ela:

– Tudo é fácil quando você ama e quer fazer alguém feliz.

Foi apenas à noite, sob o véu da escuridão – não poderiam estar espiando de fora? –, que Raul se aproximou de seu carro, com dois grandes sacos cheios até a borda, retirados do Butte-aux-Romains. Então ele e Béchoux aterraram a escavação e, da melhor forma possível, apagaram os restos do trabalho que havia sido feito.

– Na próxima primavera – disse Raul – a natureza se encarregará de recobrir tudo. E como até lá ninguém entrará no casarão, ninguém jamais saberá, exceto nós quatro, o segredo do rio.

O vento tinha diminuído. A segunda maré do dia 13 de setembro foi fraca, e era de se presumir que as duas marés do dia 14 apenas elevariam a água a um nível normal, sem que o Butte fosse cercado.

À meia-noite, Catherine e Bertrande entraram no carro. Raul foi dizer adeus ao senhor Arnold e a Charlotte.

– Bem, meus pequenos frangotes, como estão? Ainda dói ao sentar? Meu Deus, parece que você ainda está lamentando, linda Charlotte. Ouçam-me, vocês dois... Vou deixá-los aqui por quarenta e oito horas, com Théodore Béchoux como enfermeiro, cozinheiro, dama de companhia e leão-de-chácara. Além disso, Béchoux ficará encarregado de passar o pente-fino no rio, e de raspar para vocês as películas de ouro. Depois ele os enviará, de trem, para onde vocês desejarem, com os bolsos cheios de pepitas e seixos, e a alma cheia de boas intenções. Pois não tenho dúvida de que vocês deixarão suas duas patroas em paz, e vão se dependurar em outro lugar. Estamos combinados, senhor Arnold?

– Sim – disse este, claramente.

– Maravilha. Tenho certeza de sua boa-fé. O senhor viu em mim um cavalheiro que não mente, e eu o impressionei um pouco, não foi? Portanto, aqui nos separamos. De acordo também, amável Charlotte?

– Sim – disse ela.

– Perfeito. Se por acaso você deixar o senhor Arnold...

– Ela não vai me deixar – rosnou o criado.

– Por quê?

– Nós somos casados.

Béchoux cerrou seus punhos e se articulou:

– Cretina! E ainda queria que eu me casasse com você.

– O que você quer, meu pobre velho? – disse Raul. – Se ela se diverte em ser bígama, a bela criança!

Ele puxou o amigo, pegou seu braço e disse com firmeza:

– É nisso que dá, Béchoux, ter relações equivocadas. Compare nossas condutas. Havia duas pessoas más aqui, e duas nobres criaturas. Quem você escolheu? Você, um pilar da sociedade? O lado mau. Quem eu escolhi? As nobres criaturas. Ah, Béchoux, que lição para você!

Mas Béchoux estava em um daqueles momentos em que os problemas de moralidade não lhe interessavam muito. Ele pensava apenas no estranho enigma decifrado por Raul e estava confuso.

– Mas então – disse ele – você só teve que ler essa linha de números do testamento do senhor Montessieux para adivinhar que era uma sucessão de datas, ver a relação que existia entre essas datas e as grandes marés do equinócio e entender que as grandes marés atingiam e espalhavam um depósito de ouro, em suma, para descobrir a verdade?

– Isso não foi o suficiente para mim, Béchoux.

– Do que mais você precisou, então?

– Quase nada.

– O quê?

– Genialidade.

EPÍLOGO
QUAL DAS DUAS?

Três semanas mais tarde, em Paris, Catherine se apresentou na casa de Raul d'Avenac. Uma senhora idosa que parecia uma governanta abriu a porta.

– O senhor d'Avenac está?

– Quem devo anunciar, senhorita?

Catherine mal teve tempo para considerar se diria ou não seu nome. Raul apareceu e exclamou:

– Ah, você, Catherine! Que bom! Mas o que há de novo? Em sua casa, ontem, você não me avisou sobre esta visita.

– Nada de novo – disse ela –, apenas algumas palavras para dizer a você... Cinco minutos de conversa.

Ele a fez entrar no escritório para onde, seis meses antes, ela tinha vindo, hesitante e feroz, para implorar sua ajuda. Ela certamente não tinha mais o mesmo ar de corça acuada que havia tocado Raul, mas parecia igualmente hesitante. E começou pronunciando palavras que obviamente não estavam relacionadas ao motivo que a tinham trazido.

Raul pegou suas mãos e olhou-a nos olhos. Ela estava encantadora, feliz por estar perto dele, sorridente e séria ao mesmo tempo.

– Fale, então, minha pequena Catherine. Você sabe da confiança que pode ter em mim, e que eu sou seu amigo… mais do que amigo.

– Mais do que amigo, o que isso significa? – ela murmurou, enrubescendo.

Por sua vez, ele também ficou envergonhado. Ele percebeu que ela estava profundamente perturbada, pronta para abrir seu coração, e também a ponto de fugir.

– Mais do que amigo… – disse ele – significa que estou mais ligado a você do que a qualquer outra pessoa no mundo.

– Mais do que a qualquer outra pessoa no mundo? – disse ela com seu ar ingênuo, porém obstinado.

– Sim, com certeza sim – respondeu ele.

Ela afirmou:

– Muito, talvez, mas não mais.

Houve um silêncio entre eles, e Catherine, subitamente resolvida, disse em voz baixa:

– Temos conversado muito ultimamente, Bertrande e eu… Sempre amamos uma à outra… mas a vida… a diferença de idade… o casamento de Bertrande, tudo nos separou. Estes seis meses de crise nos aproximaram muito… embora haja algo entre nós… que deveria, ao contrário…

Ela havia baixado os olhos, toda confusa, mas de repente os levantou, e, corajosamente, terminou:

– Entre nós, Raul, havia você… sim, você.

Ela ficou em silêncio. Raul permaneceu indeciso e ansioso. Ele tinha medo de feri-la, ou de ferir Bertrande por causa dela, e seu papel de repente parecia doloroso, quase odioso. Ele sussurrou:

– Eu amo vocês duas.

– Isso mesmo – disse ela com vigor –, as duas… tanto uma quanto a outra, isto é, não ama uma mais que a outra.

Ele protestou com um movimento.

– Não, não – disse Catherine –, aceite como é. Para Bertrande e para mim, nossos sentimentos não são desconhecidos por você, mas você responde com sentimentos que se dirigem a nós duas. Lá, no casarão, você lutou por ela e por mim, por nossa causa comum, e é impossível para você nos separar uma da outra. E acontece que você não pode passar sem nenhuma de nós. Mas quando se ama de verdade, não é assim… Desde o seu retorno, você tem vindo nos ver todos os dias, e temos esperado, sem falso orgulho ou ciúmes, por sua decisão. Mas sabemos agora que não haverá decisão. Você sempre nos amará, tanto uma quanto a outra. Então…

– Então? – disse Raul, com um nó na garganta.

– Então estou aqui para comunicar nossa decisão, já que você mesmo não pôde tomar uma.

– E qual é a decisão?

– Vamos partir.

Ele sobressaltou-se.

– Mas isso é absurdo!… Vocês não têm o direito… Como, Catherine, como você quer me deixar?

– Tem que ser assim.

– Mas não, por nada! – protestou Raul. – Eu não quero.

– Por que você não quer?

– Porque eu te amo.

Ela fechou a boca dele com um gesto rápido.

– Não diga isso… não permito. Para me amar, você teria que me amar mais do que a Bertrande, e isso não é verdade.

– Eu juro...

– Eu proíbo que você fale assim... Mesmo que fosse verdade, seria tarde demais.

– Não é tarde demais...

– Sim, porque eu estou aqui e porque fiz essa confissão a você... e a confissão de Bertrande. Tais coisas somente são ditas quando se está bem resolvido... Adeus, meu amigo.

Ele sentiu que não importava o que fizesse, não a demoveria; e sentiu isso tão bem que não ousou se rebelar ou tentar segurá-la.

– Adeus, meu amigo – repetiu ela. – E minha dor é tão grande que eu quero... quero que haja entre nós... uma lembrança...

Catherine havia colocado suas mãos sobre os ombros de Raul. Ela aproximou seu rosto e ofereceu-lhe os lábios.

Por um momento, ela desmaiou entre os braços que a abraçavam loucamente e sob os lábios que a beijavam. Então, libertando-se com um gesto, ela fugiu.

Uma hora depois, Raul correu para as duas irmãs. Ele queria ver Catherine novamente. Ele queria confessar a ela todo o seu amor, sem sequer pensar aonde tal passo o levaria.

Catherine não havia retornado. E ele também não viu Bertrande. No dia seguinte, a mesma visita inútil.

Mas, um dia depois, Bertrande Guercin tocou à sua porta e, como Catherine, foi levada para seu escritório.

Ela entrou com o mesmo ar de hesitação que sua irmã, mas recuperou sua postura muito mais rápido que a irmã; e, enquanto ele segurava suas mãos e olhava para ela como havia olhado para Catherine, ela murmurou:

– Ela já te disse tudo... Tínhamos prometido uma à outra vir uma última vez... É a minha vez. Vim para me despedir de você, Raul, e para agradecer por tudo o que você fez por nós duas... e por tudo o que você fez por mim, pois eu era culpada, e você me salvou do remorso e da vergonha.

Ele não respondeu de imediato. Estava aborrecido, e Bertrande continuou, encabulada pelo silêncio e dizendo palavras ao acaso:

– Eu contei tudo para ela. Ela me perdoou... ela é tão boa! Ela é como aquelas riquezas, que pertencem somente a ela, já que nosso avô queria assim... Mas ela se recusa... ela quer compartilhar...

Raul não estava ouvindo. Ele observava o movimento dos lábios dela e aquele rosto lindo e ardente, estremecendo de paixão contida.

– Não vá embora, Bertrande... eu não quero que você vá....

– Eu tenho que ir... – disse ela, como sua irmã havia dito.

E ele repetiu:

– Não, eu não quero... Eu te amo, Bertrande.

Ela sorriu com tristeza.

– Ah, você também disse a Catherine que a amava... e é verdade... e é verdade, também, que me ama... e que não pode escolher... Isso está além de suas forças...

E ela acrescentou:

– E poderia estar além de nossas forças, Raul, se você amasse uma de nós. A outra sofreria demais. Ficaremos mais felizes assim.

– Mas eu, eu ficarei infeliz... infeliz por dois amores perdidos...

– Perdidos?

No início, ele não entendeu a pergunta dela. Seus olhos se interrogavam. Ela sorriu, misteriosa e cativante. E ele a atraiu até ele, sem que ela resistisse.

Duas horas depois ele levou a jovem para casa e obteve a promessa de que ela viria vê-lo novamente no dia seguinte, às quatro horas. E ele esperou, feliz e confiante, mas também melancólico quando pensou em Catherine.

Mas a promessa era apenas uma armadilha. No dia seguinte, bateram quatro horas, e depois as cinco... E Bertrande não veio.

Às sete horas ele recebeu um telegrama. As duas irmãs diziam que haviam deixado Paris.

Raul não era um homem que se entregava ao desespero ou à raiva. Ele permaneceu senhor de si, calmo como se não tivesse recebido do destino o choque mais doloroso. Foi a um ótimo restaurante, fez uma boa refeição, que ele prolongou com um excelente charuro Havana, e depois caminhou pelas avenidas, com a cabeça ereta e o passo despreocupado.

Por volta das dez horas ele entrou, sem nenhuma razão, em um salão de dança popular em Montmartre e, assim que cruzou o limiar, parou espantado. Entre os casais que bailavam ele avistou, dançando foxtrote, girando pelo salão, Charlotte e Béchoux, enlevados e cheios de alegria.

– Filhos da mãe – rosnou. Têm muita coragem, esses dois.

O jazz silenciou. Os dois dançarinos voltaram à sua mesa. E naquela mesa, diante de três copos e uma garrafa de champanhe aberta, estava o senhor Arnold.

Nesse momento, toda a raiva de Raul, há muito reprimida, veio à tona. Vermelho, furioso, fora de si, embora ainda tentasse se conter, caminhou em direção aos três culpados, com passo brusco. Ao vê-lo, os três, em suas cadeiras, recuaram. Arnold logo se recuperou e sorriu arrogantemente. Charlotte ficou pálida e sem reação. Béchoux se levantou, como se quisesse defender seus companheiros.

Raul se aproximou e, com o rosto colado ao dele, ordenou:

– Rápido... mexa-se.

O outro tentou se rebelar. Então Raul agarrou a manga de seu casaco no ombro, empurrou-o em direção à cadeira, que tombou, fez com que ele girasse e, sem se importar com as pessoas que observavam a cena, arrastou-o em direção ao corredor, depois em direção ao vestíbulo, depois em direção à rua. E ele resmungava:

– Caráter repugnante... você não tem vergonha? Aqui está você, se exibindo com um assassino e uma cozinheira... você, um brigadeiro! Um vegetal da polícia! E você acha que Lupin vai tolerar isso? Espere só, seu canalha!

Diante dos transeuntes perplexos, ele o carregava quase à distância de um braço, como um manequim deslocado, e continuava sua invectiva, orgulhoso lá no fundo por extravasar suas mágoas.

– Sim... desgraçado... miserável! Você não tem mais senso moral do que uma abóbora! Vê até onde o amor mais abominável pode rebaixar? Lá estão seus companheiros de deboche... um assassino e uma cozinheira! Ah! felizmente Lupin está aqui para salvá-lo... e para salvá-lo de si mesmo. Ah! Lupin, eis aí um bom homem! Será que Lupin obedece às suas paixões? Ele também pode ter dores de coração. Aquela que ele ama agora está rica, graças a ele, e ela reencontrará seu noivo. Ele está reclamando? Bertrande, que ele também ama, vai esquecê-lo. Será que ele pensa sequer em correr atrás dela? Não. A felicidade dela, acima de tudo. A felicidade de Bertrande! A pureza de Catherine! E, enquanto isso, você se agarra com a cozinheira!

Raul tinha levado Béchoux até o quarteirão d'Europe, onde ficava a sua garagem.

Ele o levou para a frente do carro e disse:

– Entre.

– Você está louco.

– Entre.

– Para quê?

– Vamos sair daqui – disse Raul.

– Para onde?

– Eu não sei. Para qualquer lugar. O principal é salvá-lo.

– Eu não preciso ser salvo.

– Ah, você não precisa ser salvo! Do que você precisa? Sem mim, você está acabado, rapaz. Você vai cair na sarjeta, na lama. Vamos sair daqui. Não há mais nada que possamos fazer neste momento. Você precisa se distrair e esquecer. Você precisa trabalhar. Conheço um bandido em Biarritz que matou sua esposa e a comeu. Vamos prendê-lo. E depois uma menina em Bruxelas que cortou a garganta de seus cinco filhos. Vamos pegá-la. Venha.

Béchoux resistia, indignado.

– Mas não tenho tempo, caramba!

– Você vai ter. Vou telegrafar para o chefe da polícia. Venha.

– Mas eu não tenho nem mesmo uma mala.

– Eu tenho uma no porta-malas. Eu tenho tudo de que precisamos. Venha.

Ele atirou Béchoux à força para dentro do carro e acelerou. O infeliz policial choramingava.

– Mas eu não tenho nada para vestir, nem roupas, nem botas.

– Vou comprar para você sabonetes e uma escova de dentes.

– Mas...

– Não faça gracinhas. Veja, eu já me sinto bem melhor. Acho que Catherine e Bertrande fizeram um bom trabalho ao fugir de mim. Além disso, ninguém pode ser mais estúpido do que eu. Amar as duas, e não poder dizer a uma delas "eu te amo", sem mentir para a outra. Nesses casos, você acaba ficando sozinho, como um idiota. Felizmente tenho boas lembranças... Ah, Béchoux, boas lembranças... Contarei tudo sobre isso quando eu tiver colocado você em segurança. Ah, velho camarada, você tem muito para ouvir.

E através das ruas, através das estradas, levando Béchoux com ele, o carro seguia, rumo a Biarritz ou Bruxelas... para o sul ou para o norte... Raul não sabia muito bem para onde ir.